детектив-событие

Что такое детектив-событие от Евгении МИХАЙЛОВОЙ?

Её истории покоряют с первой страницы. Многолетний опыт журналистских расследований помогает ей выбирать острые, как лезвие, темы – и населять романы неординарными, вызывающе яркими персонажами. Но самое главное – каждый из героев получает в финале то, чего заслуживает. Потому что истина и любовь должны побеждать всегда!

Евгения Михайлова

СОВСЕМ КАК ЖИВАЯ

Москва
«Эксмо»

УДК 82-3
ББК 84(2Рос-Рус)6-4
М 69

Оформление серии *С. Груздева*

Михайлова Е.

М 69 Совсем как живая : роман / Евгения Михайлова. — М. : Эксмо, 2012. — 352 с. — (Детектив-событие).

ISBN 978-5-699-60703-7

Мать Николая Кузнецова постоянно ему твердила: покупка огромного ярко-оранжевого джакузи в ванную комнату — это самая большая глупость в его жизни. Она даже не догадывалась, что после ее смерти сын совершит еще большую глупость и пойдет работать... киллером...

Ольга Воронова не верила своим ушам: ее новый любовник, а по совместительству и новый шеф после их страстной ночи уехал из офиса вместе с симпатичной Викой. Но на следующий день Виктория так и не появилась на рабочем месте...

Частный детектив Сергей Кольцов многое повидал на своем веку, но с такой просьбой клиента столкнулся впервые — тот требовал предоставить ему для личных целей подходящий труп молодой и красивой девушки...

Судьба иногда разыгрывает поистине дьявольские комбинации. И никогда не знаешь, какую роль в твоей жизни может сыграть одна далеко не случайная встреча...

УДК 82-3
ББК 84(2Рос-Рус)6-4

ISBN 978-5-699-60703-7

Все события и действующие лица романа вымышленные

Пролог

Летним вечером два человека спокойно сидели в добротно обставленном кабинете скромного офиса и негромко беседовали. Один из них был коренастым, плотным, круглолицым брюнетом, другой — худощавый, с удлиненным подбородком, со светло-русыми волосами и залысинами над высоким лбом. Но при беглом, не очень внимательном взгляде они казались похожими, как братья. Эффект общей «песочницы». Одинаковый уровень деловой озабоченности во взглядах, значительность интонаций определенного социально-делового круга, немного разного цвета костюмы примерно одной цены. Уже не клерки, еще не совсем государственные мужи.

— Процесс пошел, Витя, — невыразительно сказал брюнет.

— Да, Костя, — кивнул собеседник. — Я как-то еще не осмыслил.

— Деньги большие. Другой уровень.

— Завтра с утра собираем всех и начинаем действовать?

— Начинаем, Витя. Но всех не собираем. Только главного бухгалтера. Она оформляет поступление... Пока так. Потом все пойдет на один счет.

— Не понял. На чей?

— Ни на чей. На ничей. Под грифом «Секретно». Ты понял?

— А...

— Такое условие. Из следующего поступления мы оставим себе значительный процент. Тогда и поставим в известность коллектив, приступим к нашей программе.

— Значительный — это сколько?

— Пятьдесят.

— А пятьдесят на ничей счет?

— Сам понимаешь... Нам повезло. Нам очень повезло. Еще такая деталь. Деньги, которые оформит завтра Марина, перебросит через некоторое время уже другой главный бухгалтер.

— Ты что! Ты хочешь уволить Марину? Мы никогда не найдем работника лучше. Она умный, честный профессионал. Большая редкость.

— Мы найдем хуже. Точнее, я уже нашел. Хорошего, покладистого паренька, который умеет забывать информацию. А Марину я не буду увольнять...

— Что ты имеешь в виду?

— Она — не тот человек, которого можно отпустить с такой информацией.

— Ты... Нет, Костя. Ты этого не сделаешь. Марина — молодая женщина, у нее маленький ребенок. Она... очень красивая...

— Как ты разволновался, — небрежно хохотнул Константин. — Я не собираюсь ее завтра отравить или зарезать. Просто думаю о том, как ее нейтрализовать. Возможно, найти ей более подходящее место. Она ведь серьезный экономист, а не просто бухгалтер. И действительно красивая женщина, яркий человек... То есть очень опасный свидетель. В неспокойной обстановке, знаешь, именно таких используют, если понадобится, к примеру, взорвать наше дело. Я просто размышляю и делюсь с тобой... Ты в порядке? Как-то побледнел...

— Костя, об условиях этой сделки знаем мы втроем? Ты, я и Марина?

Они оба уже стояли. Константин неторопливо подошел к приятелю, положил руку ему на плечо и посмотрел в лицо открытым, преданным взглядом темно-карих глаз.

— Есть такое понятие — мужская дружба. Нам ли с тобой этого не знать? Нам ли сомневаться друг в друге? Мы прошли нелегкий путь.

— Да, Костя. Все так. Не нужно произносить речь. Конечно, я тебе верю.

СОВСЕМ КАК ЖИВАЯ

На следующее утро автомобиль Виктора Леонтьева, заместителя президента финансовой корпорации, взорвался во дворе его дома. Виктор погиб мгновенно. Его торжественно и пышно хоронили через несколько дней в закрытом гробу. Друг и руководитель Константин Петров произнес скорбную, душевную речь.

— Дорогой друг Виктор, — обратился он к огромному портрету у гроба. — Ты любил жизнь, ты любил наше дело, любил людей... Ты не щадил себя... Мы тебя никогда не забудем.

ЧАСТЬ ПЕРВАЯ

Глава 1

Коля Кузнецов лежал в своем огромном джакузи экзотически-пламенного цвета и меланхолично управлял процессом пальцами ног. Горячий поток, холодный, сильнее, мягче, подсветка, простые мелодии: французский шансон, рок, метал, ретро, вообще — «Владимирский централ», рэп... «Ой, заткнись, — лениво произнес Коля. — Тебя я нажал нечаянно». Он страшно не любил косноязычия. Ко всему остальному был терпим. Но в тишине думается все же лучше. Коля думал о том, что мама назвала этот джакузи самой большой глупостью его жизни. Он мысленно выстраивал в ряд по размеру самые значительные глупости своей жизни и приходил к выводу, что в данном случае мать, как всегда, погорячилась. Да, было много суеты. Сначала соседи затопленных этажей снизу, потом крайне неприятные люди по имени «коммунальщики», потом комиссии, бумаги, согласования... Отключение воды вообще: им с мамой казалось, что навсегда. Они стойко переносили невзгоды. В привычном для их семьи порядке. Мама с рассвета начинала обзвон, как диспетчер МЧС, затем решительно садилась за руль своего черного джипа и объезжала инстанции. Коля лежал на диване и думал. В частности, о том, что с мамой у него точно все в порядке. Не напрасно она его родила в сорок лет, когда старший брат уже был женат. Мама родила Колю «для души», как объясняла она вскользь. Пауз для подробных объяснений у нее никогда не было. Член-корреспондент Академии наук, главный редактор трех профильных журналов, она постоянно куда-то торопилась. Уладила тогда ситуацию с джакузи, заказала билет на самолет в Швецию на симпозиум, вечером они с Колей вдвоем отмечали свой общий день рождения. Коле исполнилось сорок, маме — восемьдесят. Они выпили бутылку красного вина, съели ее фирменную кулебяку. Коля вдруг поймал ее непривычно внимательный взгляд.

— Как ты без меня будешь?

— Ты же вернешься через неделю, — пожал плечами Коля. — Посплю хоть без твоих разговоров по телефону.

— Я не об этом. Как ты вообще будешь? Ты же ни на что не способен.

— Обидно, мам. Да еще в юбилей, так сказать. Давай не будем омрачать праздник оскорблениями. Надеюсь, я еще побуду с тобой. Мама, ты ни разу не болела за всю мою жизнь.

А я, например, два раза лежал в больнице, у меня зимой всегда грипп, а не так давно я сломал ногу, если ты помнишь. Впрочем, ты могла и не заметить. Если честно, мам, я очень обижен. Мне казалось, я тебе нравлюсь.

— Ты умный, образованный, симпатичный. Это я совершенно объективно говорю. Но ты поразительный бездельник, понимаешь?

— Ты не права, но мне лень об этом говорить. Посидели, называется.

— Ладно, не дуйся. — Она потрепала его волнистую каштановую гриву, в которой уже блестели серебряные нити. — Вернусь — передам тебе дела. Ты справишься, я знаю.

Она попала в ДТП по дороге в аэропорт. Коле было так плохо, что он не покончил жизнь самоубийством только потому, что это выглядело бы нелепо, истерично со стороны. Здоровый мужик, в расцвете сил, не может жить без матери. Но он не мог. Абсолютно не интересовался возней старшего брата по поводу оформления наследства. Мама, конечно, не оставила завещания: она не собиралась умирать. В эту возню вступила Колина бывшая жена и его восемнадцатилетний сын, слишком похожий на свою мать, чтобы нравиться отцу. Да и сыну такой папа как-то не очень. Бабушку он не то чтобы любил. Просто с раннего детства понимал, что ему с ней повезло. Она щедро расплачивалась за равнодушие его отца. В общем, они поделили и расхватали что могли. Мамины заместители заняли ее кресла. Коля остался в этой квартире, где дожил птенцом до сорока лет и каждый день и каждую ночь боролся со страшной тоской. Он даже ругался с матерью.

— Ты родила меня для души? — горько спрашивал он. — Для своей души? А о моей ты подумала, когда неслась на своем сумасшедшем джипе в аэропорт? Мама, тебе было восемьдесят лет, ты должна была позаботиться о том, чтобы отучить меня от себя постепенно. Ты же знала, что я больше ни с кем жить не могу.

Прошло несколько месяцев. Боль не прошла, деньги кончились. Надо думать самому, как жить дальше. Коля вышел из ванной, встал в прихожей у зеркала во всю стену, задумчиво посмотрел на свое отражение. Он пытался увидеть себя в какой-то сфере деятельности. Перед ним стоял высокий широкоплечий мужчина в махровом халате с однозначно красивым лицом — светло-карие глаза, крупный правильный рот, приятная белозубая улыбка, вполне себе умный лоб. В ящике письменного стола — два диплома о высшем образовании: философский факультет, затем журналистика МГУ. Временами он где-то работал, вроде получалось, но в одно прекрасное утро становилось ясно: каторга должна кончиться, в противном случае это не жизнь. Это было как с женитьбой. Говорят, каждое предложение находит спрос. И наоборот. Коля вошел в мамин кабинет, включил компьютер, набрал в поиске «работа» и разбросал по нескольким сайтам объявление: «Ищу работу на непродолжительный срок с достойной оплатой. Умею все. Подробности, если меня заинтересует предложение. — Он подумал и добавил: — Просьба с ерундой не обращаться». И добавил фото, на котором сам себе казался похожим на идеализированный портрет Петра Первого.

Глава 2

Со стороны Коля всегда производил впечатление праздногуляющего человека. В этот душный летний вечер он легко вписался в небольшой поток людей, которые зачем-то пришли в сей абсолютно идиотский сквер. Его планировщик явно страдал угловым синдромом. Ни одной прямой дорожки, ни одного округлого цветника, ничего похожего на то, что способна создать природа, не страдающая комплексами и не зарывающая в землю деньги налогоплательщиков. Коля лениво шел зигзагами плиточных дорожек мимо зигзагов цветов, выстроившихся, как солдаты, с интересом рассматривая поставленные зигзагами скамейки. На них никто не сидел: кому нужно, что на тебя косо смотрели с соседней лавки. Прямо не получится. Коля улыбнулся. Он любил откровенную глупость и в силу врожденного чувства юмора, и в рамках собственной теории: чужая глупость повышает самооценку разумного человека, который не слишком преуспел в жизни. Скажем так: не захотел преуспевать в обычном, примитивном понимании. Самый большой умник в школе и университете, дружбой и вниманием которого все гордились, как-то остался совсем без друзей. Они не понимали его, он не понимал их. У них семьи, бизнес, горячка бежать, брать, продавать, куда-то лезть, догонять, отбирать. А он вчера ночью плакал, вспомнив о маме, единственном по-настоящему близком человеке, собеседнике, друге, няньке, как ни крути... И в этот сквер пришел, потому что денег, оставшихся в квартире после нее, хватит от силы на неделю. И — все. И без вариантов. Ему позвонило несколько человек по его объявлению. Все предложения показались ему бредом, кроме одного — встретиться и поговорить. Голос явно принадлежал человеку, который знает, чего хочет, и способен достойно оценить работу... Работу, о которой нельзя говорить по телефону, что само по себе любопытно. Коля согласился, а не бросил в ужасе трубку, чтобы, стиснув руки, воскликнуть: «Только не криминал!» А почему нет? А что нынче не криминал? Он читает по Интернету компромат на кого только возможно. Ну, не на зарплату же все это... Не за честное служение... И если рассмотреть вопрос с философской точки зрения, разве не криминал — оставить себя без помощи? Да, именно, по статье «оставление в беспомощном состоянии»...

Уже совсем стемнело, когда он подошел сзади к невысокому коренастому мужчине, который цепко вглядывался во всех прохожих.

— Добрый вечер, — негромко произнес Коля, и мужчина вздрогнул от неожиданности, посмотрев на него снизу вверх почти испуганно.

— Вы Николай? Я не понял: вы чего подкрадываетесь? Разве мы не договорились: вы стоите и ждете с газетой в руках!

— Я пришел сюда и спохватился, что у меня в руках нет газеты. Ну, думаю, что ж я без нее буду стоять как дурак? Я погулял. Здесь красиво, вы не находите?

— Понятно. Шутник. У меня нет времени. Будем по делу или расходимся?

— Я внимательно вас слушаю.

— С чего начать — с работы или вознаграждения?

— С него, пожалуйста.

— Много. Вас устроит.

— Не слишком конкретно, но, думаю, мы все уточним. Если...

— Если вы возьметесь.

— Неужели убийство? — спросил Коля, чувствуя себя то ли участником дурацкого спектакля, то ли зрителем такого же кино.

— Да. Если отказываетесь — сразу расходимся.

— Я не отказываюсь. Я примерно этого и ждал.

— У вас есть какая-то подготовка?

— Я служил в армии. И даже был в горячей точке. Мать вытащила. А что, много народу я должен по вашей задумке убрать?

— Мало. Одну молодую женщину.

— Что?

— Расходимся?

— Да нет, почему. Уйду я — кто-то другой получит ваши деньги. Женщине уже не уцелеть, как я понимаю.

— Да. Вопрос решен. Возвращайтесь, пожалуйста, домой. Вам придет на телефон ее фотография. Завтра вы получите подробную информацию. Спешки нет. Все требуется тщательно продумать. Я должен быть в курсе. До связи. Меня зовут Константин.

Коля задумчиво смотрел в широкую спину уходящего человека. «Жизнь моя, иль ты приснилась мне...» Он сделает эту работу. Мама, а ты говорила, что я ни на что не способен... Один поступок может заполнить всю пустоту вокруг него... Убить женщину. Всего одну. Из такого огромного количества мужчин и женщин...

Он приехал домой на метро, посидел абсолютно без мыслей на диване, пока не услышал сигнал: пришло ММС. Взглянул сначала бегло. Затем подключился к компьютеру, вывел портрет, увеличил, еще увеличил... Закурил. У нее сияли светло-карие, практически рыжие, золотистые глаза. Он таких никогда не видел. И улыбка дрожала в уголках нежного рта. И пышные волосы открывали маленькое ухо, касались нежной шеи... «Вот это да, — сказал Коля незнакомке. — Как же мы с тобой попали! Теперь вся надежда на мой могучий разум, но он как-то стал тупить от твоей красоты».

Глава 3

Он всю ночь смотрел в потолок. Причем так пристально, как будто хотел просверлить его взглядом, раздвинуть облака, увидеть или услышать хоть какой-то знак. Там же мама: она должна похлопотать за него в небесной канцелярии. Смешно: он решился на убийство, но «добро» хочет получить неземное. Знака он не дождался, примерно все себе выстроил сам. Он в ловушке. Ему безразлична собственная жизнь, с какой тогда стати сожалеть о чужой? Его цинизм — это его точка опоры. Вот сейчас он должен на что-то решиться, потому что бездействие хуже смерти. Чем экстравагантнее и страшнее действие, тем лучше: пусть он погибнет, но не в норе... То есть проблем нет: он преодолеет себя, как Раскольников, и, возможно, получит удовольствие от кусочка свободной, богатой жизни... В отличие от вышеупомянутого невротика, который меньше всего рассчитывал на удовольствие. Свободная жизнь... Да, как ни ужасно это признавать, но он стал свободным от всех условностей, оказавшись в абсолютном одиночестве. Богатство — ну, речь идет всего лишь о победе над нищетой. Он не хочет думать, на что завтра или через год купит сигареты... Навязчивых идей у него нет. Запара с футбольным клубом, или местом в Думе, или с замком в заповедных местах его не заинтересует даже в бреду. То есть он свободен и от денег, стало быть, ему можно их иметь. А это редкое качество, других достоинств, впрочем, Коля у себя пока не находил. У них в шкафу лежат собранные мамой материалы о предках-дворянах. Один из них — декабрист — умер от чахотки в Сибири... И Коля его понимает. Просто его судьба посылает не на Сенатскую площадь... Черт побери, ну куда посылает, туда посылает! И, если судьбе вздумается, Сибирь его найдет. В общем, никаких проблем нет, есть частности. Лицо этой женщины. Он убьет любую другую. Или как-то это организует. Эту нужно для начала увидеть. Ну вот, звонит работодатель.

— Доброе утро, Николай. Что скажете?

— Я как-то не ожидал, что вам захочется со мной беседовать о жизни. Но я могу...

— Знаю, что можете. Получил на вас полное досье.

— Что вы говорите? Дадите почитать?

— Нет. Вы подходите. Не передумали?

— Не успел.

— Сейчас на ваш мейл придет письмо с данными объекта: имя-фамилия, адрес, место работы, маршрут... Ознакомьтесь. Когда будет план, позвоните по этому телефону. Как я сказал, не нужно торопиться, но и тянуть нельзя.

— Сколько у меня времени?

— Недели две.

— Могу рассчитывать на аванс?

— Да.

— Я хотел уточнить: девушка должна исчезнуть или...

— Или! Ее должны опознать и похоронить близкие и коллеги. Это условие.

— Понятно, Константин. Если у вас все, то я в это время суток пью кофе.

Коля встал, открыл письмо, сразу все запомнил. Романова Марина Георгиевна. Работает главным бухгалтером в финансовой корпорации «Просвет». О! Лирики, однако. Адрес рабочий, домашний, время работы, телефоны, маршрут. Ездит в метро. Коля быстро нашел в поиске этот самый «Просвет». Точно как в аптеке: президент — Константин Петров. Ну, елки-палки, какой примитивный козел. Он нанимает для убийства своего главного бухгалтера интеллигентного, образованного человека, который ему подходит, поскольку нигде не работает и живет один. То есть убрать его потом — пара пустяков. Сбит пешеход — водитель скрылся, пробита голова — пьяный бомж признался. Вместе с Мариной будет похоронена тайна серьезного преступления — хищения, свидетелем которого она была. Ее убийцу, конечно, будут искать... и найдут в каком-нибудь морге. Убийц Коли никто искать не станет. Вот такую он нашел себе работу — разового киллера. Поскольку даже при самой большой симпатии к нему Константина Петрова оставить его в живых тот не может. Более того, поскольку все карты уже раскрыты, ему — не жить, даже если он сейчас откажется. С такой информацией не гуляют.

Потом Коля долго лежал в своем джакузи радостного цвета и мысленно, по привычке последних недель, обращался к маме: «Теперь ты понимаешь, что эта ванна — не самая большая глупость в моей жизни? Это вообще не глупость, поскольку я только ее теперь и люблю. Без тебя она мне кажется родственницей. Самой большой глупостью была мысль, что мне нужны деньги. Мама, я бы спокойно мог заработать их как угодно. Что бы ты ни говорила обо мне, мы оба знали, что я умею все, просто не хочу ничего делать. Но мне понравился голос человека, который посылает меня убить своего бухгалтера, чтобы потом раздавить меня, как таракана. Такое выгодное дело я нашел. Или оно нашло меня. Ты представляешь, этот тип получил на меня досье, и я ему понравился! Подошел! Ты скажешь, конечно, что надо срочно бежать в полицию... И будешь не права. Даже если они мне поверят, даже если затеют спектакль с липовым убийством и всем тем, что показывают по телевизору, он потом откупится от суда и все равно меня грохнет, а потом убьет эту женщину. Она красивая. Или просто фотогеничная. Ну, это не суть. Не хотелось бы, чтобы ты продолжала думать, что я ни на что не способен».

Коля выбрался из теплых, оранжевых объятий, легонько промокнул себя пушистым полотенцем, накинул халат и пошел пить кофе. Потом он долго рылся в ящиках письменного стола, искал старые телефонные книжки. Нашел номер Игоря Василькова, с которым был когда-то в горячей точке. Позвонил, не слишком надеясь на удачу: телефон мог измениться. Но Игорь ответил, даже узнал, обрадовался. Сказал, что работает начальником охраны в одном офисе. Договорились на следующий день встретиться, посидеть где-то. Потом он нашел телефон журналиста, с которым когда-то открыли журнал «Богема». Все шло неплохо, просто Коле эта типа богема, которая, кстати, неплохо платила за материалы о самой себе, опротивела до дрожи через несколько месяцев. А соратник Степа вошел во вкус и до сих пор — главный редактор.

— Привет, Степа, узнал?

— Не может быть! Ты соизволил вспомнить обо мне? Слушай, если хочешь поработать, нет проблем. Ставка найдется. Только, извини, зам у меня уже есть.

— Ты точно меня узнал?

— Коль, ты чего?

— Я засомневался. Никто никогда не думал, что я хочу поработать.

— А-а. Слушай, я тут замутил рубрику «Скандалы». Блеск. Ты знаешь, с кем живет Бобков и откуда деньги у этой Кобелидзе?

— Стоп! Степа, я понятия не имею, кто эти люди. Более того, я категорически не желаю этого знать. Я звоню по другому поводу. Идея какая-то смутная. Затеять что-то крутое, ну, к примеру, «Криминальное чтиво», но как-то... Ну, не так, как все. Никого не знаешь из частных детективов? Чтоб можно было рассчитывать на его честность, порядочность, все такое и, главное, по деньгам в пределах разумного.

— Они все непорядочные и по деньгам неразумные. Но есть один... Как раз помогал мне с одним скандалом. Рекомендация такая — только своим. Коля, дам телефон с одним условием. Иметь совесть. Ты можешь обращаться к этому человеку только тогда, когда он будет не нужен мне.

— Господи, да я, скорее всего, вообще не буду обращаться. Ты же знаешь, мои идеи гаснут, как светлячки. Но телефончик дай на всякий случай, ну, вдруг... Сошлюсь на тебя тогда, ладно?

Коля записал телефон, имя-фамилию. Сергей Кольцов. Ладно. Может, и пригодится. Раз мы встали на путь преступлений. В результате совершенных действий он почувствовал страшную усталость, как будто вагон с арбузами разгрузил. Лег спать, провалился мгновенно, во сне куда-то ехал, шел, встречался с незнакомыми людьми... Что-то ему было очень нужно. Сам не понял, что именно. Проснулся, резко поднялся, набрал телефон своего работодателя.

— Привет, Костя. Приступаю к разработке. Решил внести коррективы в нашу договоренность, хотя, по правде, это должен был сказать ты. Мы говорили об авансе — это само собой. Но есть еще производственные расходы.

— Сколько?

— Завтра утром назову сумму и номер карты.

— Хорошо. Завтра получишь.

Какой щедрый, подумал Коля, положив трубку. Этот скот из-за денег убивает женщину, работающую на него. Он переведет, конечно, ту сумму, на какую у Коли хватит воображения, — он не сильно пока в материале, сколько в таких случаях берут. И так же легко рассчитывает эти деньги потом вернуть: наверняка есть способы. Вернуть, когда его, Коли, не будет. Ну, тут посмотрим, старичок. Пока бреемся, одеваемся: пора двигаться. Знакомиться с жертвой.

Глава 4

Этот «Просвет» себя не афишировал вовсе. Он размещался в небольшом сером офисном здании в очень тихом месте, довольно далеко от метро и другого общественного транспорта. Скромный особнячок обнесен аскетическим забором, машин во дворе немного. Неподалеку несколько старых девятиэтажек, небольшой парк, виднеется какая-то церквушка. «Как все мило, — восхитился Коля. — Тихо и спокойно: можно мочить весь персонал раз в неделю, сбегать свечки поставить за упокой, набрать новых работников... И новых киллеров. Интересно, друг Костя уже заказал меня?»

Коля посмотрел на часы. Рабочий день Марины Романовой закончится через двадцать минут. До метро она идет пешком. Он прошелся по аллее парка, сел на скамейку, с которой хорошо просматривался выход из здания. Закурил, вспомнил вдруг одну ночь, когда их отряд получил команду взять штурмом поселок, где засели боевики. Как получилось, что они сами оказались в кольце, как выжили, выбрались — не все, только он да Игорь Васильков? С тех пор, как мама вытащила его в мирную жизнь, Коля никогда не вспоминал ту историю. Блок поставил себе в мозг. Сейчас снял и все вспомнил. Тогда они быстро сообразили, что их подставили, сдали. И Коля знал кто. Он легко принял решение — убить этого человека. Приказ та сволочь получила от других, в этом не разберешься. Но того, кто приказ выполнил, нужно было убить по многим причинам. Это был отморозок. Не враг, а свой отморозок. Но тут уже заработали мамины связи, Коля вернулся в Москву. Отслужил. Есть награды. Мать спасла жизнь ему и тому отморозку, которого Коля не убил. То есть он убивал в бою, а этого хотел убить выстрелом в затылок, чтобы отомстить за предательство. Теперь разнообразия ради подписался на убийство за деньги. Нормальная деградация...

— Дядя, можно нам здесь сесть? — раздался детский голос.

Рядом со скамейкой стоял худенький паренек лет двенадцати с большой лохматой овчаркой.

— Садитесь, — радушно ответил Коля. — Будьте как дома. Какой у тебя классный пес. Как странно он на меня смотрит.

— Он не смотрит, — серьезно сказал пацан, скромно сев на краешек скамейки. — Грэй слепой. Он вас слушает.

— Печально. — Коля внимательно посмотрел в темные, грустные глаза мальчика. — А в чем дело?

— Он работал. В МЧС. Мама говорит, это от пожара или от пыли завалов. Папа привез его к нам. Он там охранником работал.

— И ты один с ним гуляешь?

— Да. Я — его хозяин. Папа работает теперь на Рублевке охранником. Мама дома. У нас есть еще маленькие дети.

— Сколько?

— Два ребенка — Ваня и Тоня.

— Понятно. А почему вы в парке не гуляете?

— Мама не разрешает. Говорит, там нельзя детям с большой собакой. Потом на Грэя может кто-то напасть, я не смогу его оттащить.

— А где твой дом?

— Вот. Прямо у забора этой фирмы. Мы на девятом этаже живем.

— Удобно.

— Чем? — с живым любопытством спросил мальчик.

— Удобно наблюдать за этой фирмой. Вдруг они шпионы... Я шучу.

— А, — разочарованно протянул пацан. — А я подумал, правда...

— Как тебя зовут?

— Егор. А вас?

— Николай. А почему вы не гуляете в своем дворе: у вас там хорошо, зелено, много места?

— Вон смотрите, видите, что там торчит?

— Какая-то табличка. А что?

— Это табличка: «Собакам запрещено». Втыкает один дядька с восьмого этажа. Бетоном заливает. Взрослых он не трогает, а когда мы с Грэем проходим, орет. Пугает: убью собаку, в школу напишу...

— Да, бывают такие энтузиасты. Знаешь, мне сейчас некогда и уйти отсюда не могу, но я здесь не последний раз, думаю. Я потом тебе позвоню, мы этот экспонат вытащим.

— Правда???

— Ну, дел-то...

— А когда вы мне позвоните?

— Сейчас трудно сказать. Скажи свой номер.

— А я его не знаю. Мне никто не звонит.

— Тогда набирай мой телефон, у меня твой появится. Потом я его наберу, у тебя будет мой. Деньги на мобильнике есть?

— Да. Тринадцать рублей.

— Я тебе деньги положу. Звони, если будут новости.

— Я позвоню, дядя Коля. Спасибо.

Николай посмотрел на часы. Марина Романова немного задерживается. За время его разговора с Егором со двора выехало несколько машин. Пробежали две девушки, по всему — секретарши. Значит, скоро. Коля давно не волновался. Не было повода. Горе — это антиволнение. Это провал. Тяжелое сердце просто падает на дно темного колодца, который, возможно, является душой. А сейчас сердце билось быстро и тревожно. Можно считать это прогрессом. Какой-то драйв.

— О чем ты думаешь? — посмотрел Коля на мальчика, который сосредоточенно сдвинул золотистые брови.

— Я хочу быть богатым, — уверенно ответил Егор.

— Ну, стал, допустим, а дальше что? Что бы ты сделал во-первых?

— Во-первых, я бы поднялся к этому дядьке, который воткнул табличку и ругается, и сбросил бы его с балкона.

— Не слабо. Только я не понял, при чем тут богатство. Сбросить дядьку с балкона может и бедный.

— Бедный сядет в тюрьму. А если бы я был богатым, я бы всем заплатил и сказал: «Он сам прыгнул. Я хотел его удержать, а он меня укусил за палец». И вот так взял бы и прокусил себе палец. Типа доказательство.

— Слушай, у тебя целый преступный план. Смотришь боевики?

— Смотрю.

— Хорошо. Я пошел. Мне пора. Позвоню тебе, Егор. Вечером получишь эсэмэску, что я деньги тебе положил.

— Спасибо. До свидания, — вежливо сказал Егор своим приятным голосом.

Коля встал и неторопливо пошел, чувствуя, что ему в спину пристально смотрят темные глаза мальчика и слепые глаза овчарки. Прямо знак какой-то. Чудесный, несчастный, одинокий пацан с ходу изложил ему схему, по которой он и сам действует. Сначала любым способом получить много денег, а потом как-то все само образуется... Видимо, это показывают в кино, и убить эту Марину за деньги согласился бы даже первоклассник, если бы ему так повезло с предложением, как Коле. Вот она. Идет в нескольких метрах впереди по направлению к метро. Пропорциональная, аккуратная фигура, серая юбка чуть выше колен, белая шелковая блузка, светлая сумка через плечо. Он видит ее пышные золотистые волосы, заколотые высоко над затылком, стройные ноги в туфлях на невысоком каблучке. Догоняет, какое-то время идет рядом, потом лениво, небрежно произносит:

— Извините, не подскажете, как пройти к метро.

Его интонация не оставляет сомнений: он прекрасно знает, как туда пройти. Тем более вариантов нет. К метро ведет именно эта дорога. Девушка смотрит на него, в ее золотистых глазах, еще более ярких, чем на фото, блестят смешинки. Она не то что фотогенична. Она очень хороша собой.

— Неужели вы таким образом ко мне пристаете?

— Ну да. Мне просто лень придумывать другой образ.

— А приставать не лень? Я замужем, между прочим.

— Очень рад. Потому что жениться на вас я не собираюсь. Это такая головная боль, если честно.

Глава 5

На Кольцевой в вагон хлынула толпа, Марина оказалась плотно прижатой к Коле. Она подняла голову, смущенно улыбнулась, он чуть раздвинул сограждан плечом, создал некий комфорт для двоих. Они уже совсем познакомились. Хотели — говорили, хотели — молчали, не мешая друг другу. Ехать нужно было шесть остановок. Коля привычно для себя существовал в разных измерениях, временах, размышлял и сопоставлял то, что к актуальной для него проблеме не имело ровно никакого отношения. Он думал, как не повезло ему в браке. И в романах не сильно везло, если таковыми можно назвать легкие связи на пару дней или недель. Колина жена вышла за него замуж «по залету», перед этим провела серию истеричных переговоров с его мамой, которая и приняла решение. Ему было абсолютно все равно. Лишь бы его наконец оставили в покое. Лида была дочерью маминого сослуживца, родители ее повели себя как порядочные люди. Коля переехал к жене. А через месяц вернулся домой. Мама спросила:

— Ты не мог потерпеть еще семь месяцев хотя бы, пока она родит?

— Ты действительно думаешь, что мое отсутствие скажется на процессе? — изумился Коля. — Она родит в любом случае, но я не могу так долго ждать. Ты же говорила, что все нужно делать в интересах ребенка. Вот я и ушел. Чтобы ребенок не родился депрессивным. Мне там плохо!

— А в чем дело?

— Во всем. Она мне не нравится. Если бы я рассказал тебе, какие ненормальные у нее сексуальные причуды, ты бы...

— Замолчи. Ты все-таки полный балбес. Кто рассказывает матери такие истории!

— Странно, — пожал плечами Коля. — Тебе было бы интересно.

Сейчас он разглядывал сверху лицо Марины. В жаре реснички ее чуть потекли, капельки пота над верхней губой, ее дыхание казалось горячим, как будто у нее температура. В нем ничего не протестовало, как это бывало обычно. Все вроде бы хорошо, а дышит тебе в лицо чужой человек... От Лиды он до сих пор при встрече держится подальше. Хотя она нормальная, здоровая, чистоплотная женщина. А с Мариной ему было до странности приятно. Запах тела, волос, нежное плечо, упругая грудь — это его не то чтобы возбуждало. Просто топило в грустной нежности. Может, так и становятся маньяками — он попробовал вывести мысль в область цинизма, — испытывают нежность к своим жертвам и подсаживаются на это?

— Ты поняла, что я провожаю тебя домой? — спросил он у нее, когда они вышли из поезда на станции «Академическая».

— Ну, если ты не живешь здесь, то, стало быть, провожаешь, — засмеялась она.

— И какие соображения по этому поводу?

— Может, тебе делать нечего или я тебе понравилась. Может, ты грабитель или альфонс. Вариантов куча, я даже не стану заморачиваться.

— Какой интересный у тебя жизненный опыт. И ты не боишься? Есть еще маньяки, убийцы...

— Пока не боюсь, — серьезно сказала Марина. — Но вообще-то я ходила на курсы самообороны. Имей в виду.

— Приходилось применять навыки в деле?

— Нет. Но пару раз убегала. Так вернее.

— Понятно.

Они вышли из метро и медленно пошли по улице.

— Ты кем работаешь? — спросил он.

— Бухгалтером.

— Не может быть! — очень искренне удивился он. — Я терпеть не могу бухгалтеров. У них противный голос и большой живот. Они всегда давали мне меньше, чем я ожидал...

— Тебе, наверное, попадались беременные бухгалтеры, — рассмеялась она. — Хотя, если честно, мне не нравится моя работа. Так получилось. У мужа возникли неразрешимые проблемы с бизнесом, долги до сих пор выплачиваем. Он сидит с ребенком. Я — кормилец. А ты кто?

— Безработный, — пожал плечами Коля. — Не заметно, что ли?

— Не знаю, — задумчиво посмотрела на него Марина.

— И какой у тебя муж?

— Блондин, если ты внешность имеешь в виду, — насмешливо сказала она.

Так ответить могла только его женщина. У других дам чувства юмора нет.

— Да, для меня действительно это очень важно.

— Все, Николай. Это мой дом, во двор, пожалуйста, не заходи. Муж может смотреть в окно.

Коле это вдруг так не понравилось, что он кивнул, резко повернулся и пошел прочь.

— Эй! — окликнула его Марина. — Ты даже не попросил у меня телефон.

Коля остановился и чуть было не брякнул, что ее телефон с утра вбит в его память гвоздями.

— Я завтра встречу тебя там же. У твоей работы.

— А если я не захочу?

— Мое дело — встретить. Не захочешь — пойду в другую сторону. Ты права: мне здесь делать нечего.

Он приехал к себе, и сразу раздался звонок по домашнему телефону. Костик явно демонстрирует, что пасет его со всех сторон.

— Да.

— Как дела?

— Полагаю, ты знаешь. Я познакомился с ней. Человек непростой, маршрут крайне неудобный, везде кучи народа, нужно время, чтобы что-то придумать.

— Хорошо. Ты знаешь, сколько у тебя времени. Расходные сейчас переведу. Триста кусков. Понадобится больше — скажешь. Аванс будет, когда назовешь точное время исполнения. Остальное... по факту.

Коля положил трубку, не прощаясь. Не говорить же ему «до свидания», этому сейфу с квадратными мозгами. А если взять у него аванс и нанять кого-то, чтобы его же и грохнули? Мысль приятная, но глупая. Ведь уже есть люди, которые собрали Константину досье на него, есть те, кто ждет сигнала, чтобы его убрать... А еще несколько дней назад самой большой его, Колиной, проблемой было отсутствие денег.

Ложиться как-то не хотелось. Мешала мысль о том, что скоро появится возможность лечь навсегда. Он сел к компьютеру и перевел Егору на телефон триста рублей. Чем богаты, как говорится. Остаток составил чуть больше пяти тысяч. Коля встал, попил воды, покурил, вернулся... О! Обещанные триста тысяч уже упали на его карту. Процесс пошел.

Глава 6

Марина уложила вечером спать своего трехлетнего Артема, поцеловала, пошептала на ушко, дождалась сладкого сопения и глубоко, с облегчением вздохнула. Ребенок здоров и доволен — это самое главное. В доме спокойно. Муж Саша отлично выполняет обязанности домохозяйки и матери. Конечно, он изменился после сокрушительного поражения в бизнесе, когда в один день оказалось, что он «должен» крупные суммы денег тем людям, с которыми в складчину начинал предприятие, и чиновники, получившие от него взятки, передают на него материалы правоохранительным органам по интересной статье «растрата без корыстного мотива», а еще выяснилось, что он открывал дело не с конкретными людьми, у которых есть фамилии и адреса, а в сговоре с «неустановленными лицами», что сулило очень большой срок... В общем, нагнал ветер грозовые облака, и пролились они на голову бедного Саши, зашедшего в бизнес не с той стороны, некачественным навозом со специфическим запахом заказухи. Для того чтобы уцелеть, спасти жизнь жены и ребенка, не сесть на долгие годы, пришлось раздать все сбережения, продать все, что имелось, включая дом его матери, набрать кредитов... которые и повисли на Марине, преподавателе экономического факультета. Тут-то и появилось предложение, от которого нельзя отказаться. Новой финансовой корпорации срочно требовался грамотный главный бухгалтер. Зарплата раз в десять больше, чем у преподавателя. Обещали также серьезные премиальные. Думать было некогда. Она работала, работала, работала... Они почти выкарабкались из ямы лжедолгов, из лап вымогателей... Все были сыты, они целы. Саша стал спокойным, только иногда Марина остро ощущала его психологический надлом и изредка, вернувшись с работы и коснувшись губами его щеки, чувствовала запах спиртного. У нее сразу обрывалось сердце. Она знала, что они переходят бурную реку по очень узкому мостику: никакой возможности посмотреть вниз нет. Но они справлялись с этим. Они уже были не просто мужем и женой, они стали боевыми товарищами, вышедшими из вражеского окружения. Напряжение вносила лишь свекровь, которая теперь жила с ними. Она по какой-то одной ей понятной причине видела в Марине источник всех бед сына. Марина то и дело вздрагивала, встретив ее взгляд — «я тебя насквозь вижу», — и старалась непринужденно реагировать на ее реплики сквозь зубы. Но и свекровь, Нина Валентиновна, работала с утра до ночи в какой-то непонятной французской фирме и все деньги вносила в общий котел. То есть и она была воином в их маленьком отряде, пробивающемся к победе и миру. Их знаменем, смыслом, источником сил был маленький Артем, белокурый в папу, с золотистыми глазами — в маму, с ямочками на щеках, как у бабушки. Солнце, одним словом. Марина поцеловала розовую ножку, высунувшуюся из-под одеяла, и погрузилась в горячую волну нежности.

В спальне она с наслаждением потянулась под одеялом. До утра еще столько времени. Муж горячо прижал ее к себе и, целуя, произнес, как говорил почти каждую ночь:

— Я сегодня звонил насчет одного места... Ты знаешь, мне кажется, неплохое. Ты сможешь уйти с этой работы...

— Не надо, Саша. Не торопись. Давай пока ничего не менять. Я боюсь перемен. У меня хорошая работа, мне не трудно.

...Когда он уснул, она устроилась поудобнее, готовая, как обычно, сразу уплыть в желанный сон, но ей что-то мешало, как принцессе горошина. Она так долго старается не расшифровывать свое тяжкое предчувствие новой беды. Оно появилось с тех пор, когда взорвали машину с Виктором, заместителем президента их корпорации. Он был неплохим человеком, Марине казалось, что у него к ней особое отношение, но суть даже не в этом. Дело завели, однако никаких версий не возникло. Никто вроде бы не заинтересован в том, чтобы найти убийцу и разобраться, в чем причина... Может, конечно, все так, как говорит Константин, президент фирмы и друг Виктора, — его по ошибке взорвали: хотели кому-то другому отомстить, или просто хулиганство... Но, кроме того, что Марине очень жаль Виктора, ей в последнее время постоянно не по себе. Как будто сигналит датчик рядом с источником радиации. Что-то не так. Баснословно крупная сумма, что повисла на счету их фирмы без движения и о которой нельзя говорить коллективу (Константин сказал, что он сам объявит, когда уладит некие организационные вопросы), — это плохо, отчетливо понимала Марина, несмотря на намеки Кости, как выгодна такая ситуация для них двоих. Марине ничего не нужно. Сейчас, ночью, когда мысли стали ясными, четкими, как открытия, она поняла, что надо срочно увольняться. Такую же работу с подобной зарплатой она найдет через пару дней без проблем. Да, надо уходить. Запах нечистых дел им с мужем слишком хорошо знаком. Повторения допускать нельзя. Она завтра же предупредит Константина о своем уходе. Доработает, пока он не найдет ей замену.

Марина почувствовала страшное облегчение. Как все просто решается. Вот теперь можно наконец уснуть. Она зарылась лицом в подушку и вдруг вспомнила своего сегодняшнего кавалера. Интересно, кто он на самом деле, этот Николай? Пожалуй, она еще не встречала столь необычного человека. Какой-то он не такой, как все. Она ему понравилась? Или он просто дурачился от нечего делать и больше они никогда не увидятся? Марина вспомнила, как он разглядывал ее в метро, и улыбнулась. Надо же. Поклонником обзавелась. А он ведь красивый мужчина... На этой крамольной мысли она уснула, совсем спокойная, почти счастливая.

Глава 7

Константин успел вздремнуть на супружеской круглой дурацкой кровати, которая его жене Ленке кажется страшно гламурной. Она явно помешалась, пытаясь не отстать в гламурности от давно свихнувшихся звезд. Каждая больная идея сопровождается углубленным поиском в Интернете, затем планомерным объездом самых элитных салонов, затем нудным проеданием Костиного мозга. В результате они становятся счастливыми обладателями очередной нелепой вещи. Как правило, Косте на это глубоко наплевать, но не в данном случае. У него не получается, к примеру, резко встать с этой кровати: он теряет равновесие, как будто падает с земного шара. Что чуть не произошло сейчас, когда он проснулся от какой-то мысли, словно от удара, и рванулся, чтобы глотнуть чего-нибудь ободряющего. Он взял с полки бутылку виски, налил полный стакан, сел на маленький, уютный и устойчивый шелковый диван. Ленка с ним просто промахнулась: этот лежак похож именно на диван, а не на снаряд в спортивном зале. Костя залпом выпил сразу половину стакана и, по обыкновению, выстроил общую картину своих дел. Жена в Италии, что прекрасно. Сказочный заказ, можно сказать, в кармане, и это только начало... Поступившая сумма тому залог. Требуется лишь расчистить путь для будущих действий. И здесь он тоже строит правильную политику, кое-кто ему даже дал это понять. Виктор и Марина были необходимы на каком-то этапе и опасны для дела сейчас. То есть Виктор уже не опасен, дело о его гибели рассматривалось в нужном ключе и логично движется к архиву. Марина... Не самый сложный вопрос. Найден идеальный исполнитель. Этот Николай в тупике в смысле денег, с задачей справится однозначно, парень умный, сильный, есть опыт — все же служил в горячей точке. Полный пофигист, похоже. Сомнений у него не возникло. Нигде не работает сто лет, друзей практически нет, живет замкнуто, с родственниками почти не общается. Искать его никто не будет. По крайней мере — сразу. А найдут — не станут особенно горевать, всему поверят, побегут квартиру на себя оформлять. Все в порядке? Да нет же! Константин был не очень умным человеком, хотя не считал себя таковым. Но у него звериное чутье, это лучше, чем ум! И это чутье ему подсказывало, что этот Коля может... Нет, не соскочить. Он может захотеть переиграть его, Константина. Конечно, это почти нереально. Коля один, у него, Константина, люди и связи. Просто его люди не должны иметь отношения к тому, что произойдет с Мариной. Кто-то слишком прыткий может связать это с гибелью Виктора, заказом... Нужен именно разовый киллер. Такой, как Коля. Он не имеет никакого отношения ни к их делу, ни к Константину. Его никто не знает. Он бросил семью, сам познакомился с Мариной, у него на телефоне и компьютере ее снимки, посланные с номера, который больше не существует. Типичный маньяк. К такому выводу придет следствие. Что же не так? Геморройный мужик этот Кузнецов. Он разговаривает с Костей, как принц Монако с гориллой, спрыгнувшей с лианы... Или упавшей с круглой кровати. Да. У Константина не бывает личных эмоций, особых отношений, но этот человек ему нравился все меньше и меньше. Собственно, его не для любви и нанимали.

Костя допил виски, побродил по квартире, пока выпивка не растопила тревогу в груди. Вернулся в спальню, немного добавил, лег на кровать, покачиваясь на волнах полусна. И вдруг ему явилась Марина: яркая, улыбающаяся, соблазнительная... Костя покрутился, и вдруг... А почему нет? Пока киллер будет готовиться, у Кости есть время. Теперь с ней можно не церемониться. Она считает себя принцессой! Теперь это точно уйдет с ней в могилу. Как и все остальное.

Глава 8

Коля подошел к офису, где работал Игорь Васильков, к началу обеденного перерыва. Игорь вышел из ворот через минуту. Все такой же: высокий, худощавый, чуть сутулый, с очень внимательным взглядом серых глаз и седым ежиком волос, которые стали такими в ту самую ночь, когда они случайно выжили. Он молча подошел к Николаю, они крепко пожали друг другу руки. Игорь кивнул в сторону, где была небольшая пивная.

Какое-то время они пили пиво с соленой рыбой, перекидываясь короткими фразами: «Ты как?», «Да ничего», «Жить можно», «Все путем»... Коле даже показалось, что они зря встретились. То, что было скрепленной кровью дружбой, как-то не звучало в обыденной жизни двух неудачников среднего возраста. Тогда казалось: если выживем... Ох, если выживем! Все будет на полную катушку, жизнь взахлеб. Но ни один из них не взял даже невысокого барьера. Коля вообще порог поленился переступить. Наверное, весь запал, вся жажда жизни остались там, где им приказали умереть.

— Моей мамы больше нет, — вдруг пожаловался Коля.

— Да ты что! — искренне огорчился Игорь. — Она ж у тебя такая... Была. Я помню все, что ты рассказывал. И если бы не она, может, мы из того котла на зону бы отправились...

— Да, мама необыкновенный человек. Все удивляюсь, как ее угораздило таких двух дегенератов родить, как мы с братом.

— Ладно. Кончай. Брата твоего не знаю, а ты у нас был самым умным, и прекрасно это знаешь. Любого мог переговорить.

— Да, переговорить — это мой конек...

Коля надолго замолчал. Игорь серьезно разглядывал его.

— Слушай, Колян, ты случайно не вляпался во что-то? Какой-то ты не такой. Много молчишь.

— Ну, как-то так. Случайно узнал о готовящемся преступлении... Я теперь исполнитель. Женщину одну нужно убрать как свидетеля. Не я, так другой... Я согласился. Деньги беру.

— В чем нужна помощь?

— Пока понятия не имею. Женщина красивая, похожую найти трудно. Время есть, но не очень много. Родственники должны ее опознать.

— У тебя будут большие проблемы.

— Они у меня уже есть, ты не понял? Я — разовый киллер.

— Да. Теперь по-любому не соскочить. Есть план?

— Да так... Наверное, нет.

— Сейчас сброшу тебе один свой телефон — он нигде не значится. Чуть что — звони. Подниму людей быстро. Я тут недавно тоже в одну историю попал. На предыдущей работе. Подстрелил грабителя, не насмерть — он должен был уйти. Я обязан был промахнуться. Меня взяли, обвинение предъявили: превышение и все такое... Ну, вроде мне показалось, что он сейф обчистил. Знаешь, кто помог? Николаев. Помнишь, полковник такой был у нас, от ордена отказался?

— Конечно. Серьезный мужик. А кто он сейчас?

— В отставке, владелец охранного агентства с большими правами.

— Какими?

— Ну, точно не скажу. Но есть связи с кем надо. Слышал пару историй: эмчээсников повязал за «неоказание» и сдал, сами их работу сделали, кого-то он вытащил, меня например, кого-то наказал...

— И за что такие привилегии? Вроде его начальство не сильно любило.

— Компромат он вроде держит. На кого надо.

— Надо на всех. Он что, им торгует?

— Думаю, просто держит. И молчит. Это дороже, чем торговать.

— Это — да. Интересно, он меня помнит?

— Тебя все помнят.

— Тоже верно. Своими ушами слышал, как Николаев спрашивал: «Где этот болтун и раздолбай Кузнецов?»

— Ну, видишь, — рассмеялся Игорь. — Такое не забывается. Мне пора. Хорошо посидели. Звони.

Из пивной они пошли в разные стороны. По дороге к метро Коля позвонил по телефону, который дал ему бывший коллега Степан, редактор «Богемы».

— Мне нужен Сергей Кольцов, частный детектив.

— Он вас слушает.

— Здравствуйте. Вам должен был позвонить Степан Кривицкий насчет меня. Моя фамилия Кузнецов.

— Он звонил. Можете приехать.

— Когда?

— Хоть сейчас.

Офисом частного детектива оказалось маленькое помещение в странном здании без вывесок, похожем на жилой дом без занавесок на окнах. Коля открыл дверь, ему навстречу поднялся белокурый и голубоглазый парень в джинсах, с искренним взглядом и приветливой улыбкой голливудского актера, которому платят миллион долларов за удачное выражение лица. Коля сразу сделал вывод, что доверять такому радостному тюфяку, как Степа из журнала «Богема», можно только от большой безысходности. Этот частный детектив, наверное, поставляет ему сведения, какого цвета трусы были на поп-диве Крыс-крыс в момент встречи с олигархом Обожратовым.

Кольцов пригласил его сесть, уставился в ожидании. Коля задумчиво молчал.

— Чем могу быть вам полезен? — спросил Кольцов, которому, похоже, Колина заторможенность показалась чрезмерной.

— Вот об этом я сейчас и думаю. Не знаю, каковы ваши возможности, насколько будет защищена моя информация, с какого момента ваша полезность станет платной...

— В любом случае вы верите или не верите мне на слово. Ваша информация — моя профессиональная тайна, плата начинается с факта полезности. Детали обговариваются. Мы оба в любой момент можем расторгнуть договор. В криминале я не участвую.

— То есть вам кажется, что я похож на преступника?

— Мне пока вообще ничего не кажется. Я просто предупреждаю.

— Понял. А если, к примеру, я покажу вам фото девушки и попрошу найти очень похожую, но уже убитую?

— Вопрос интересный. Даже не ожидал. Это трижды криминал. Недонесение о готовящемся преступлении, подлог, укрывательство другого убийства.

— Спасибо. Я понял. Прошу прощения за то, что отнял у вас время.

Коля встал, они с Сергеем обменялись лучезарными взглядами и обаятельными улыбками, Кузнецов пошел к выходу, Кольцов вдруг его остановил:

— Подождите. А если поставить вопрос иначе: девушка, чье фото вы хотели мне показать, уже заказана? Есть обстоятельства, мешающие обращению в правоохранительные органы? Вам угрожает опасность?

— Да. Есть. Да. — Коля посмотрел на Кольцова с удивлением. Он не предполагал, что есть люди, способные выразить мысль яснее, чем он сам.

— Садитесь, — предложил Сергей, — я слушаю. В конце разговора могу отказаться в этом участвовать.

Рассказ оказался очень коротким и понятным, как дважды два равно двум трупам. Той женщины и этого клиента.

— Я согласен попытаться, — сказал Сергей. — Другого выхода, пожалуй, у вас нет. Здесь явно есть еще один уровень, о котором мы можем только догадываться, он раздавит вас везде. И ее тоже. Сразу скажу: точной копии жертвы мы не найдем. Поэтому нужны особые приметы. Родинки, шрамы... Это может появиться и после смерти.

Глава 9

Ольга Волкова, заведующая отделом инноваций одного чудом выживающего НИИ, ехала утром на работу в своем скромном «Опеле» и улыбалась. Она любила лето, ее гладкую смуглую кожу ласкали солнечные лучи, она надела сегодня новую белоснежную блузку с глубоким вырезом и белую джинсовую узкую юбку. Ольга считала себя оптимисткой, не находила в себе комплексов и предрассудков. Ей сорок пять, у нее не идеальная фигура — широкие бедра и талия, слишком полные ноги и почти плоская грудь. Но это всего лишь несоответствие определенным стереотипам, считала Ольга. Она смело носила короткие обтягивающие юбки и блузки-кофты с декольте. Оле было хорошо, она сегодня очень нравилась себе и сама с собой лукавила: притворялась, что ее просто радует летний день, а не спрятанный подальше секрет, который она откроет, как футляр с новым украшением, потом, ночью, когда не останется других дел и мыслей. Она припарковалась у здания института, легко взбежала по ступенькам на свой третий этаж, быстро шла, улыбаясь, по коридору и одобрительно кивала слишком нарядным сотрудницам — коллектив у них был практически однополый. Оля очень доброжелательно относилась к своим более молодым и совсем юным подчиненным, но сегодня у нее были основания насмешливо оценивать тот факт, что они столь синхронно расфуфырились и разукрасились.

Она вошла в свой кабинет и перед тем, как приступить к работе, откинулась на спинку кресла, глубоко, удовлетворенно вздохнула. И опять немного схитрила сама с собой: будто дело лишь в том, что наконец у нее появилась возможность приступить к давно продуманной программе, на которую столько лет не давали финансирования. Теперь оно будет. Она проработала час плодотворно, с удовольствием, когда позвонил новый шеф.

— Доброе утро, Алексей Владимирович, — мелодично проговорила Оля. — Да, конечно, все на местах, все хорошо. А как у вас?

— У меня тоже неплохо, — ответил приятный мужской баритон с ненавязчивыми, вкрадчивыми интонациями женолюба. Не бабника — ни в коем случае, а именно тонкого ценителя и знатока женщин, который при любом контакте даст понять: мы — разные. Мы — полюса, которым суждено только стремиться друг к другу.

— Дают нам деньги?

— Конечно. Куда ж они денутся. Я буду через несколько часов, расскажу подробнее.

Оля положила трубку, посидела бездумно, потом достала из ящика стола зеркало, посмотрела, улыбаясь. Состроила себе гримаску: «Ну, прям человек, который смеется, честное слово. Что за дела». Дверь приоткрылась, и вошла Зина, младший научный сотрудник.

— Можно? Или ты занята?

— Занята и можно. Садись. Предлагаю кофе попить. Я как раз собиралась.

— Ой, пожалуйста, я сегодня с утра не успела — проспала.

Оля включила кофеварку, расставила чашки, сахарницу на журнальном столике у дивана, они одновременно с наслаждением вдохнули аромат, как законченные кофеманки, дуэтом сказали «ах!» и рассмеялись.

— Ну, что скажешь? — нетерпеливо спросила Зина.

— Если ты о финансировании, то все в порядке. Алексей Владимирович только что мне звонил.

— Здорово! Но я не про это. Что творится, ты замечаешь? Все будто немножко помешались. У меня в глазах рябит от нарядов и макияжа.

— Я считаю, все идет по хорошо продуманному плану.

— Что ты имеешь в виду?

— Новый директор приходит в женский коллектив никому вроде бы не нужного института. Видит, что настроение на нуле, надежд нет, желания думать, работать — тем более. Он начинает налаживать дело, как настоящий профессионал, но при этом понимает, что женщинам прежде всего требуется внимание. И он его оказывает, правда?

— Оль, он его не просто оказывает. Он каждый день кого-то к себе на дачу приглашает. Ты что, не знаешь?

— Я все знаю. И знаю, почему он это делает и как. Он хочет, чтобы каждая девочка и женщина считала себя выделенной, но эти приглашения так формулирует, что никто не поедет. Просто все будут мечтать и надеяться на большее. Алексей — очень умный человек и тонкий психолог. Я вижу реальный результат: за те несколько недель, как он у нас появился, люди не только наряжаться стали. Они стали работать! Да еще как. Глаз у каждой горит!

— Так. Понятно. Ты на самом деле не в курсе, оказывается. С чего ты взяла, что никто не поедет. Уже поехала! Вчера после работы к Васильеву на дачу поехала Виктория, и ее сегодня до сих пор нет.

— Что? — Оля улыбнулась растерянно и жалко. Может, она что-то не так поняла? — Виктория вчера никак не могла поехать к Алексею. То есть он не мог ее пригласить. Мы вместе с ним выходили вечером, и он сказал, что страшно устал, засыпает на ходу, едет отсыпаться.

— Оль, ну ты чего! Мало ли что он скажет. Тот еще кот. Вот он с ней и решил отсыпаться. Я сама слышала, как он ей позвонил, мы задержались обе, отчет доделывали. Он сказал, что звонит из машины. Что почти приехал к себе в Голицыно. Велел, чтобы она такси взяла, он оплатит.

— И что она?

— Подхватилась и поехала. Вот что она.

— Очень интересно, — натянуто улыбнулась Ольга. — Ой, Зинуль, я забыла, мне же сейчас звонить надо проектировщикам. Давай потом договорим, ладно?

— Давай, — обиженно пожала плечами Зина и встала. — Только сейчас нет ни его, ни Вики.

— Директор в министерстве, — холодно сказала Ольга.

— А Вике теперь, наверное, можно спать сколько захочется. У него. Она даже трубку не берет. Я звонила.

Когда Зина вышла, Ольга до боли закусила губу. Ей было физически плохо. Подташнивало, стали холодными руки. Кабинет заполнился туманом, в котором она отчетливо видела только их: стройного, элегантного Алексея с его мягким обволакивающим взглядом и чувственными губами и Викторию, самую красивую женщину в их институте. Сияющие волосы, зеленоватые глаза, длинные ресницы, выглядит на двадцать в свои двадцать восемь лет... Говорили, что у нее куча поклонников, а она выбирает. Значит, выбрала. Удачно. Он — перспективный муж и хороший любовник. Она это знает... Вчера утром они вместе вышли из Олиной квартиры, где провели ночь. Поэтому вечером он хотел только отоспаться... Как сказал ей, обманутой дуре.

Глава 10

Алексей Васильев, новый директор забытого богом НИИ, из которого он собирался сделать не просто научное, но и финансово выгодное предприятие, решил за несколько часов ряд очень серьезных вопросов. Подъезжая к своему институту, он ощущал приятную усталость и удовлетворение. Образованный и остепененный человек, со своей темой в науке, он, кажется, наконец нашел то, что искал. Он искал возможность, оставаясь в науке, использовать свои способности бизнесмена. Они у него есть, он проверял их не раз, просто его не устраивали ни купля-продажа, ни отмывание-зарывание денег, ни доход от мыльных пузырей. У него вменяемые потребности разумного человека, которому нужно то, что он способен заработать, делая действительно полезное и, главное, свое дело. Он взялся за этот институт, точно зная, какие перспективные разработки погребены там без движения под слоем пыли, и уверен, что очень скоро прежними и новыми работами заинтересуются очень многие.

Алексей вышел из машины, направился к зданию легкой энергичной походкой мужчины, о котором мечтают все женщины. Ну да, и это тоже. Ему нравится руководить женским коллективом. Он особенно не задумывался: слабость это, недостаток или, наоборот, достоинство, но все, что он делал, приобретало смысл, если в партере сидели аплодирующие влюбленные дамы. Поэтому его не устроила жизнь с одной женщиной, которая, став женой, быстро перегорела, свела отношения к тоскливым претензиям и утомительной ревности. Об аплодисментах речи не было. Алексей оставил ей квартиру, переехал в загородный дом и вывел аксиому: женщины хороши в букете.

Он вошел в свой кабинет, позвонил секретарше, чтобы принесла ему кофе, сделал несколько важных звонков. Потом пригласил к себе Ольгу Волкову.

— Ну, здравствуй, — сказал он ей, обласкав своим темным горячим взглядом. — Ты прекрасно выглядишь. Кофе выпьешь?

— Нет, спасибо. Уже пила.

— Мы могли бы где-то пообедать. Обсудили бы все в общем и кое-что в частности. Последнее тебя должно заинтересовать, — улыбнулся он многообещающе.

— Да? Алексей Владимирович, вас не затруднит обращаться ко мне на «вы» и по имени-отчеству. Вы — директор, я — заведующая отделом, вы — не мальчик, я — не девочка. Хотелось бы без фамильярности.

— Я не понял: мы на общем собрании или у вас, Ольга Витальевна, что-то с нервами?

— Второе. Когда мужчина говорит женщине: «У вас что-то с нервами», он имеет в виду ранний климакс. Думаю, это наш случай. Сей факт не помешает нам вместе работать?

— Да нет, не помешает. Тем более что я утвердил вас на должность своего заместителя по инновациям. Другой оклад, между прочим. Об этом, собственно, я и хотел сказать. Ну, раз вы не в духе, значит, не в духе. Вообще-то бывают женщины, которые считают, что совместно проведенная ночь — повод для истерик. Я этого не люблю, между нами.

— Опыт у вас, конечно, большой. Мне интересно, сколько раз он проверялся в нашем институте?

— Вы о чем?

— У нас остались не охваченные вашим вниманием сотрудницы, которых вы еще не приглашали к себе на дачу?

— Я приглашаю, — рассмеялся он. — Но я же объяснял: никто не принимает это всерьез. Все в шутливой форме, если и возникнет мысль, что это серьезно, любая женщина будет ждать повторного приглашения. Так мне кажется.

— Какая стройная теория. Можно открывать другой институт для ее проверки и продвижения в жизнь. Дело в том, Алексей, что ты утром забыл разбудить Викторию. И теперь все в курсе. Коллектив все-таки женский.

— В каком смысле — забыл разбудить? Я что-то ничего не понимаю.

— Как правильно назвала тебя сегодня... одна сотрудница. Кот! Зачем ты хитришь, выкручиваешься, я же тебе никто. Мне просто противна эта ситуация, но я забуду о ней через минуту. Меня это не касается.

— Подожди, Оля. Я действительно вчера позвонил Виктории, спросил в шутку, не хочет ли она ко мне приехать. Она рассмеялась и сказала, что приедет. Никто из нас не произнес слова «сегодня». То есть мы не договаривались конкретно. Думаю, кто-то был рядом и тебе рассказали. Но я понятия не имею, где Виктория сейчас. Ее нет на работе? Позвоните ей!

— Ей звонили. Телефон не отвечает. Полагаю, вы не договорились о том, что она должна нам сказать.

— Виктории не было у меня! Ты глухая?

— Я не глухая, я глупая, с твоей лапшой на ушах об умении управлять женским коллективом. На самом деле это прикрытие банальной по сути мерзости. Спасибо за повышение. Завтра приступлю к своим обязанностям. Сейчас, прошу прощения, поеду домой. Помыться хочется. У меня взрослый сын, а я чувствую себя извалявшейся в грязи уличной девкой.

Ольга вышла, хлопнув дверью. Алексей слушал быстрый топот ее каблуков. Потом подошел к окну и увидел, как она садится в машину и уезжает. Он вышел из кабинета и направился в отдел, где работала Виктория Князева. Ее не было на месте.

— Где Князева? — спросил он у Зины.

— Я не знаю. — Зина посмотрела на него насмешливо и лукаво.

Алексей резко повернулся и вышел. У себя он сел за стол и задумался. Прокол жуткий. Он действительно заигрался. Решил завести ни к чему не обязывающий флирт с целым женским коллективом. А в этом деле нужно всегда быть начеку. Можно обнаружить себя не в цветнике, а в клубке змей. И из-за дурацкой слабости разрушить дело, которое только начал поднимать. Он почувствовал неприятную усталость. Поработал еще пару часов, сказал секретарше, что едет по делам, а сам отправился домой. Вспоминал по дороге вчерашний вечер. Он заглянул перед уходом с работы во все отделы, увидел, что Виктория и Зина застряли с отчетом, попрощался, Князева посмотрела на него томным, зовущим взглядом. Он вышел из института вместе с Ольгой, пожаловался ей, что очень хочет спать, намекнув нежно на проведенную вместе ночь. Поехал к себе, действительно мечтая отоспаться. По дороге подумал, как хороша Виктория, сделал свой коронный звонок «не хотели бы вы ко мне приехать». Она мило ответила: «Я как раз об этом мечтала». И все! То есть это был чистейший и невиннейший флирт мужчины и женщины. Просто она могла оказаться более опытной, чем он думал, и сообщить всем, что поехала к нему... отправившись к кому-то другому. И теперь он зависит от того, как она поведет игру дальше. Все это похоже на неприятность. Особенно реакция Ольги. Как резко, жестко она с ним говорила.

Евгения Михайлова

...Вечером Ольга, наглотавшись снотворного, бродила по квартире, не решаясь лечь в кровать. Она точно знала, что уснуть все равно не сможет. Ее мучили стыд, унижение, ревность... Она не сразу услышала звонок в дверь, потом медленно пошла открывать, растрепанная, в халате. На пороге стоял Алексей. Оля впустила его, потянулась к выключателю. Но еще до того, как загорелся свет, увидела, что он смертельно бледен.

— Оля, прости, я приехал, потому что ничего не соображаю. У меня на террасе лежит Виктория. Она убита выстрелом в затылок. Лицо... Никто, кроме тебя, не поверит мне. Ее не было у меня вечером, ночью. Ее там не было утром, когда я уходил! Неужели ты думаешь, что я мог, она бы... Ну, что это все значит?!

— Господи. — Ольга прислонилась к стене. — Это правда? Тебе не померещилось? Я выпила снотворное, плохо соображаю. Может, ты сумасшедший? Или действительно в какую-то беду попал... Что ты сделал?

— Оставил ее и поехал к тебе. Мне не с кем посоветоваться. Я хотел вызвать полицию, но меня же заберут... Как я докажу, что это не я убил?

— Поехали, — решительно сказала Ольга. — Если Вика там, если она действительно мертва, нужно ее отвезти подальше, в другое место... Родственники будут искать, наверное... Главное, чтобы нашли далеко от твоего дома.

Зинка уже небось всему институту рассказала, что ты пригласил Вику к себе. Давай это сделаем, потом будем думать, как быть дальше.

— Спасибо, — кивнул он. — Мне хотелось, чтобы ты это предложила. Я сам не мог принять решение. Только теперь я попробую действовать без тебя. Нельзя тебя вмешивать в такое дело.

— Да чего уж... Иду в соучастницы. Я верю, что тебя кто-то страшно подставил. Кое-что слышала о таких вещах. Мой отец — отставник МВД. Он всегда говорит, что все тайное станет явным, просто надо уметь этого дождаться. Для чего нужна как минимум свобода.

Глава 11

Это была кошмарная, ирреальная ночь. Они оба действовали как роботы, но Оля старалась фиксировать и запоминать все детали. Ворота дома Алексея закрывались на крепкий замок, но сам забор перемахнуть было несложно. Дом одноэтажный и в то же время достаточно комфортный и современный. Вход на террасу свободный.

...Это была, конечно, Виктория Князева. В своем любимом ярко-розовом костюме с узкой юбкой и приталенным жакетом: сзади на шлице — волан из черных кружев. На ногах черные туфли на очень высокой шпильке. Она лежала лицом вниз... Затылок — страшная рана. Лицо... Пули прошли навылет.

— Мы сами не определили, ее привезли мертвой или убили здесь. — Оля пыталась говорить спокойно. — Это сможет установить только эксперт. Эти пятна, волосы должны быть в любом случае, но, если ее застрелили здесь, где-то есть пуля. Нам нужно потом все очень тщательно осмотреть и убрать. Принеси, пожалуйста, простыню или одеяло. Ты сможешь ее завернуть и донести до машины?

— Да, — сдавленно ответил Алексей.

Они выехали со двора, Алексей закрыл ворота, медленно двинулись по поселку. Никого не было. Он ехал по Минскому шоссе, вел машину так осторожно, как будто боялся повредить тело мертвой девушки в багажнике.

— Она была холодной? В смысле — окоченение уже наступило, когда ты ее нашел? — с трудом произнесла Ольга.

— Я не знаю, — испуганно взглянул на нее Алексей. — Я просто ничего не чувствовал.

— Понятно, — кивнула Ольга. — Я к тому, чтобы прикинуть время убийства. На всякий случай.

— На какой? — Алексей явно паниковал.

— Не знаю. Викторию будут искать. Нас опрашивать. Нам нужно точно знать, что говорить. И потом, во время следствия... Леша, не смотри на меня такими дикими глазами. Следствие непременно будет, ты сам понимаешь.

Алексей съехал на обочину и остановил машину. Руки его тряслись.

— Оля, я не выдержу. Мне уже кажется, что мы совершили ошибку. Нужно было звонить в полицию. Думаю, мы сейчас все усугубляем. Пока она лежала у меня на террасе, можно было говорить об убийце, избавившемся от тела. Сейчас я выгляжу этим убийцей. Более того, я втягиваю тебя в соучастие. И вообще — сокрытие, недонесение... Это ведь само по себе преступление! Может, нам вернуться?

— Поздно, — жестко сказала Ольга. — Сейчас слишком легко определить, что мы ее куда-то пытались везти. Ты поднимал ее, на ней могут остаться ворсинки твоего пледа, следы в багажнике. Обилие деталей для опытного следователя. Надо делать то, что решили. Потом помыть багажник, твою террасу и успеть вернуться ко мне до утра. Я буду твоим алиби. Мы скажем, что ты ночуешь у меня третью ночь. Тебя это не слишком уронит в глазах коллектива?

— Мне нравится твое чувство юмора, — пробормотал Алексей. — Оно уместно. Поехали.

Они двигались без плана, по наитию. Через час проехали большой коттеджный поселок по Киевскому шоссе примерно в ста километрах от МКАД.

— Давай где-то здесь, — предложила Ольга. — Тут ее быстро найдут.

За оградой последнего дома начиналась лесополоса. Они остановились на проезжей части метрах в пятидесяти от поселка. Вышли из машины. Было совсем темно. Алексей вытащил из багажника завернутое в плед тело, положил недалеко от дороги. Сразу отдернул руки и повернулся, чтобы идти к машине. Ольга его остановила.

— Леша, плед! Забери плед. Мы выбросим его по дороге. И... ты можешь посмотреть, нет ли у нее на костюме карманов?

— Зачем?

— Ну, как ты не понимаешь... Документы, телефон. Мы должны знать, что при ней есть. Ведь сумки не было!

Алексей медленно вернулся к трупу. Ольга подошла вслед за ним. Он осторожно развернул плед. Девушка лежала лицом вниз, как у него на террасе. Он осторожно перевернул ее на спину, провел руками по юбке, жакету, поднялся и показал Ольге носовой платок.

— Вот! Маленькие карманы... Больше ничего.

— Ее духи, — сдавленно сказала Ольга. — Положи платок обратно.

Она быстро наклонилась и коснулась ноги Виктории. Ладонь обожгло холодом смерти. Это все, что Ольга смогла определить, и с трудом сдержалась, чтобы не побежать к машине.

Они вернулись к его дому задолго до рассвета. По дороге остановились, чтобы выбросить плед на свалке. Во дворе молча, тщательно отмывали машину, террасу и ступени Ольга драила, ползая на коленях с тряпкой, это вернее, чем швабра. Пули она не нашла. Тряпку сунула в полиэтиленовый пакет. Затем спросила у неподвижно стоящего у ступенек Алексея:

— У тебя есть фонарь?

— Зачем?

— Нужно поискать вокруг террасы хотя бы. Вдруг что-то найдем. Пистолет, сумку, телефон...

Он достал из одного шкафчика маломощный фонарик, она ползала с ним вокруг террасы, чувствуя, что теряет сознание... Ничего не нашла.

Когда они шли к машине, их качало от изнеможения. В квартиру Ольги поднялись, когда небо посветлело. Она молча протянула Алексею чистое полотенце, он отправился в ванную. Она достала из бара бутылку коньяка, выпила пару глотков из стакана, закурила. Он вышел почти дымящийся после очень горячего душа, завернутый в полотенце.

— Извини, что я так, немного привел в порядок одежду.

— Нормально. Я дам тебе халат. Выпей.

Ольга тоже долго без мыслей стояла под душем, потом чистила зубы и умывалась холодной водой. Ее преследовал запах духов Виктории, который казался ей запахом смерти. Он стал таким... В любом случае эти духи отныне будут для нее ненавистными. Она влезла в махровый халат, вышла в гостиную. Алексей сидел перед пустой бутылкой коньяка и смотрел абсолютно трезвыми глазами.

— У тебя больше нет ничего спиртного? Не действует.

— На кухне есть водка. Сейчас принесу.

Она молча принесла бутылку, разлила по широким стаканам, выпила вместе с ним большими глотками не меньше половины, стараясь не чувствовать ни запаха, ни вкуса. Она терпеть не могла водку, держала ее в медицинских целях — дезинфекция, компрессы и все такое. Сейчас пригодилась. Сердце потеплело, дышать стало легче, в висках запульсировала кровь. Ольга взглянула внимательно на Алексея.

— Как ты?

— Плоховато, — вымученно улыбнулся он.

— Я спрошу один раз, больше не буду к этому возвращаться. Алексей, ты действительно ее не убивал?

Он не удивился вопросу, какое-то время молча смотрел в свой пустой стакан.

— Зачем мне ее убивать?

— Я не знаю, что предположить. Ты мог ее знать раньше. До того, как пришел к нам. Вас могло что-то связывать. Ты мог ее убить, к примеру, из ревности, из мести, из страха какого-то разоблачения... Вариантов масса.

— Хорошо, что ты это сказала, а не подумала про себя. Такие вопросы возникнут, видимо, у любого. Но зачем в этом случае мне посвящать во все тебя? И зачем ее убивать у себя на террасе?

— Я не знаю, где она была убита. А насчет меня — идея отличная. Это я предложила ее вывезти, и я — твое алиби.

...Утром они вышли из дома, как два изгоя, связанные тайной, до которой им самим страшно дотронуться.

Глава 12

Коля медленно шел к скамейке, на которой вчера ждал Марину, когда зазвонил его телефон. Он ответил, не глядя на определившийся номер, и немного удивился, услышав детский голос:

— Здравствуйте. Вы где?

— А... Понял. Это Егор и Грэй. Я, собственно, к вам подхожу. К той скамейке, где вы сидели вчера.

— Хорошо. Мы и сейчас там.

Коля приблизился к скамейке, остановился. На него смотрели, не моргая, красивые зрячие глаза пацана и слепые глаза овчарки — с абсолютно одинаковым выражением! Они оба видели не его. Они смотрели на свою надежду: вдруг появятся радость, счастье, приключение, каких им еще не доводилось встречать в жизни... У Коли странно дрогнуло сердце. Он всегда был уверен, что не любит детей и собак терпит только на большом расстоянии. А тут с ним... Что-то похожее на сентиментальность. Она забавно сочетается с той работой, которую он добровольно себе нашел.

— Привет. — Коля протянул мальчику руку. Тот встал, и они обменялись рукопожатием.

— Вы опять пришли ту тетю встречать? — спросил Егор, устраиваясь рядом с Колей на скамейке.

— Да. Можешь говорить мне «ты». Я — недоросль.

— А что это такое?

— Ну, лет вроде много, а по уму, может, меньше, чем тебе.

— Это хорошо. — Мальчик широко улыбнулся. — Вы... ты любишь компьютерные игры, гамбургеры и мороженое?

— Черт, даже не знаю. Понимаешь, я такой странный недоросль, что ничего не люблю. Ну, иногда хочу, конечно. Сейчас бы съел гамбургер с мороженым, к примеру. Не сбегаешь в тот магазин? Купи нам чего захочешь. Я подержу Грэя.

— А если тетя выйдет без меня?

— Подождет. Но еще рано. Ты успеешь.

Егор взял тысячу и побежал в магазин. Вернулся, задыхаясь от спешки и волнения.

— Гамбургеров не было. Я купил хот-доги — четыре — и два мороженых.

— Молодец. Хот-дог переводится «горячая собака», знаешь?

— Нет. А почему?

— Потому что умных людей мало. Таких, как мы с тобой. Давай ешь.

— Вот сдача.

— Оставь себе. Пригодится.

— Мама говорит, сдачу нужно отдавать до копейки.

— Ей отдавай. А это — наша общая касса будет у тебя.

— Да? — Мальчик улыбнулся.

Когда он начал есть, Коля понял, насколько пацан голоден. Сообщил лениво, что сам есть не будет, вспомнил, что пойдет с девушкой в ресторан. Егор честно скормил две сосиски овчарке, сам стал быстро есть остальное, отвернувшись. Он стеснялся своего голода. Когда Егор принялся за мороженое, из офиса стали выходить первые сотрудники.

— Она, наверное, сейчас выйдет, — сказал Коля. — Ты ешь и мое мороженое. Завтра встретимся или созвонимся. Расскажешь о себе подробнее. Даю тебе такое задание. Если я завтра не приду, посмотри в это время отсюда или с балкона, не ждет ли эту девушку другой дядя, хорошо?

— Хорошо, — радостно сказал Егор. — Я целый день буду смотреть!

— Ну, без фанатизма постарайся, — сказал Коля, поднялся и пошел навстречу Марине.

Она была сегодня в темно-синем облегающем платье из тонкого шелка. Она не улыбнулась и даже не ответила на его приветствие, просто просияла навстречу своими глазами с золотыми отблесками. «Авантюрин», — мелькнуло в голове у Коли. У мамы было много книг по геммологии. В одной из них написано:

«Авантюрин связывают не только с приключениями и страстью к игре. Его в большей степени связывают с чистой любовью».

— Ничего, что я опять тут случайно оказался? Кстати, авантюрин от слова «случайность».

— Никаких проблем, — улыбнулась Марина. — А при чем тут авантюрин?

— Твои глаза, — пожал плечами Коля. — А что, я первый это сказал?

— Точно не знаю, но, кажется, да.

— Я такой. Слушай, давай зайдем в то кафе? Выпьем по бокалу вина, кофе...

— Ой, это безумно дорогая, бестолковая кафешка. Мы никогда туда не ходим. Неподалеку есть нормальная кофейня, я бы туда зашла... На десять минут.

— Давай в бестолковую, а? Свалились деньги на производственные расходы, суть которых мне неясна. Но не исключено, что они на поддержание жизненного тонуса.

— Ты меня заинтриговал, — согласилась Марина. — Мне сейчас актуально знать, где безработным выдают пособия для поддержания тонуса.

Они пришли в очень приличное заведение, выпили по бокалу отличного вина, Марина с наслаждением вдохнула аромат чудесного кофе. И только тогда Коля небрежно уточнил:

— Откуда интерес к пособиям для безработных?

— Заявление написала об уходе, — беззаботно сказала Марина. — Через две недели — свободна...

— Через две недели, — невыразительно пробормотал Коля и посмотрел на нее, румяную, безмятежную, жизнерадостную... И вдруг будто со стороны увидел их вместе, как через перевернутый бинокль: крошечные силуэты, готовые исчезнуть. «Я не могу ждать две недели, — понял он. — Потому что это слишком долго. Нужно их опередить. Времени у меня несколько дней от силы».

Глава 13

Сергей Кольцов без предупреждения приехал в мединститут. Дверь заведующего кафедрой патологоанатомии профессора Масленникова была еще заперта. Сергей с задумчивым видом прогуливался по коридору. На самом деле он ни о чем толком не думал. Прикидывал, на какой минуте Александр Васильевич, специалист по особо важным экспертизам, скажет: «Сережа, ты сам прекратишь валять дурака или будешь ждать, когда тебя остановят?»

Масленников показался в конце коридора, высокий, худой, как всегда, очень сосредоточенный, молча пожал Сергею руку своей сильной, сухой от постоянной обработки разными растворами ладонью с тонкими, пожелтевшими пальцами запойного курильщика. Они вошли в кабинет, Александр Васильевич посмотрел на часы, кивнул Сергею на стул, сам сел за стол.

— У меня есть минут двадцать. Что-то срочное?

— Да нет. Я бы позвонил. Просто был недалеко...

— Так. Этот запев я слышал. Давай по делу.

— Да? Не знаю даже, как изложить красиво. Ну, суть такая. Одну молодую женщину заказали странному чуваку, который всего лишь хотел по-легкому немного бабла срубить. Дело даже не в том, что женщина оказалась красивой и ему понравилась. Дело в том, что ему уже не соскочить. А ее все равно убьют.

— И что с этим можно поделать, как ты считаешь?

— Я, как всегда, считаю только до трех. Он, этот чувак, придумал — выдать всем готовую, похожую на нее покойницу... А заказанную даму спрятать. Вместе с собой, видимо.

— Не верю своим ушам. Это слишком даже для тебя. Ты такого клиента заимел? Сережа, ты здоров?

— Ну, почему сразу клиент... Нет, конечно. Просто интересно: а что ему делать на самом деле?

— Если он обратился к законопослушному частному детективу, стало быть, готов сотрудничать и со следствием. Которому и должен сдать заказчика. Тебе про такое в детском саду не рассказывали?

— Именно там и рассказывали. А как вам кажется, сколько дней, часов или минут продержит этого заказчика наше самое надежное следствие в лице друга Славы Земцова? Если он от любви ко мне возьмет добропорядочного бизнесмена, поверив неизвестно кому? И на основании чего он его возьмет?

— Я понимаю ситуацию, но ты прекрасно знаешь, как надо действовать в таких случаях. Имитация убийства, заказчику показывают смонтированные фото, киллер в это время уже под охраной...

— Я читаю криминальную хронику. Тут это не прокатит. Заказчику снимки не нужны. Жертву должны опознать и похоронить родственники, киллер к этому моменту уже будет лежать на одном из столов ваших моргов. Я, наверное, не с того начал. Мне не то чтобы сильно хотелось хватать идиотов над пропастью во ржи. Просто надо из любопытства посмотреть кое-что на действующих лиц. Этот заказчик вот так — с ходу — Земцову не по зубам. Там просматривается сделка... на таком уровне... Он или выйдет из парадного входа в то время, как Славу выметут с черного, или тихо скончается в камере от дурного сна. Женщина — свидетель сделки и киллер исчезнут, как и было намечено.

— Что собой представляет этот киллер?

— Ни разу не киллер. Подобран идеально. Искать его никто не будет. Одиночка, бездельник, с большой придурью... При этом был в горячей точке, мать оттуда вытащила. Она умерла, мальчик — сорок лет — захотел кушать, дядя ему сказал: есть работа за хорошие деньги. Хлопот на пять минут, потом десять лет загорай на Мальдивах.

— Не вижу возможности ему помочь. Вижу лишь твои большие неприятности. Ты пришел рассказать мне эту интересную историю или у тебя появилась какая-то идея?

— Ну, не идея, конечно. Просто времени нет... Вот вы сказали: имитация убийства. То есть законная практика. Возможны варианты в целях спасения, так сказать... То, что этот парень придумал. Он совсем не дурак, если честно. Другая, уже убитая женщина, которую еще не ищут, а может, и не будут искать. Такого же возраста, роста, веса, такого цвета волосы с какой-то особой приметой, которая может появиться... Ну, я так, в порядке бреда.

— Это самый безумный бред из всего, что я от тебя слышал.

— Ну да. Понимаю. Хотя можно в идеале разрушить один преступный замысел и заодно расследовать другое убийство. Но мы не можем, поскольку есть рамки дозволенного. А нам дозволено остаться в стороне.

— Ты пойми меня правильно: не в стороне, а не лезть вообще во все это.

— Я правильно понял. Спасибо. Сам так думаю. Потом задним числом без опасений возьмем заказчика. Будет на чем. Отомстим, как

Робин Гуды. Он ответит по закону, а мы минуту помолчим в память о невинно убиенных...

Сергей встал, улыбнулся Александру Васильевичу, пожал ему на прощанье руку.

— Да, посмотрите для иллюстрации моего глупого рассказа. — Он нашел фото на своем мобильнике. — Это она, Марина Романова. Ему дали на все про все две недели максимум. Три дня уже прошло. У нее маленький ребенок.

Масленников молча взглянул на фото, кивнул Сергею на прощанье. Когда тот вышел, какое-то время сидел неподвижно. Морщина между бровями стала глубокой и темной, как шрам. «Это невозможно», — сказал он себе и пожал плечами.

Глава 14

Петр Князев поздним утром прошлепал босыми ногами по сверкающим полам своей недавно приобретенной и отремонтированной за десять миллионов рублей квартиры, все еще по привычке цепко оглядываясь: не хватало еще, чтоб халтурили за такие деньги. А ведь норовили! Но с ним такие номера не проходят. Он вошел в огромную светлую кухню, где жена Вера ставила на стол стакан свежевыжатого грейпфрутового сока. Она считает, что это не даст ему набрать вес. Она просто начинена глупостями, вычитанными в Интернете. Но если это никому не мешает — ради бога, считал Петр. Тем более ему этот сок нравится, особенно после поздних деловых встреч. Он по-хозяйски сжал ее плечо, коснулся уже заметного животика.

— Вика на работе? — спросил он, усаживаясь за стол.

— Наверное, — пожала плечами Вера.

— Ты что, ее не видела?

— Она не ночевала дома.

— Что за дела... — Петр со стуком поставил на стол стакан с соком. — Ну, хоть бы позвонила, что ли, для разнообразия.

— Для какого разнообразия, Петя? — пожала плечами Вера. — Твоя дочь очень часто не ночует дома. Она полагает, что это в порядке вещей. Ну а считаться с нами...

— Ты хочешь сказать, что она не считается с нами?

— А ты хочешь сказать, она считается?

Петр какое-то время внимательно смотрит на лицо жены, обычно добродушное и симпатичное. Круглое, вздернутый носик, большие серо-голубые глаза. Он пытается сообразить: она переживает из-за того, что Вика с ней не считается, беспокоится за нее или просто не любит? Ему ужасно не нравится мысль о том, что его дочь и жена, почти ровесницы, с трудом друг друга выносят. Конечно, надо было подумать о том, чтобы купить Виктории отдельную квартиру. Но он привык к тому, что девочка у него на глазах. Ее мать погибла в автокатастрофе, когда Вике было три года. Из-за этого они все время жили с мамой Петра. Эту квартиру он купил, когда женился на Вере. И он, и его мама, и, главное, сама Виктория решили, что она должна жить здесь. Дочь — модная девушка с амбициями, ей нравится в этой огромной квартире, в центре, ей так удобно. Петру, конечно, нравится думать, что дочь не хочет расставаться с ним. Он никогда не умел разговаривать с ней по душам. Ну, как говорят с дочерьми матери.

— Вера, чего ты хочешь? Чтобы Вика докладывала, когда не собирается ночевать дома? Или тебе вообще не по душе, что она с нами живет?

Это были риторические вопросы, Петр ел свой омлет с беконом в полной уверенности, что Вера не ответит, потому что ни один утвердительный ответ его не устроит. Но она ответила! Он чуть не подавился от удивления.

— Мне не нужно, чтобы женщина практически моего возраста сообщала мне, с кем собирается провести ночь. Но меня не устраивает то, что она с нами живет! Это ненормально при ее поведении. У нас, между прочим, ребенок родится. Какой будет для него пример? И вообще, мне кажется, она просто издевается над нами.

— Ты в своем уме? Какое поведение? Какой пример? Как она над тобой издевается? Она целый день работает, потом куда-то едет отдыхать. Ну, встречается с кем-то. Слушай, в этой квартире может жить еще пять человек и вообще не встречаться, если им не хочется. Моя дочь — полусирота, она всегда жила со мной. И будет жить здесь, пока не захочет уехать сама. В отдельную квартиру или к мужу. Ты это прекрасно знаешь... Черт тебя побери. — Петр швыряет салфетку на тарелку, вскакивает из-за стола и на ходу добавляет: — Ты становишься идиоткой!

Вера смотрит ему вслед, сжав от волнения руки, сердце ее колотится, но она рада, что завела этот разговор. Когда-то до него должно дойти! Он просто не хочет видеть и понимать очевидные вещи. Он женился на молодой женщине, они ждут ребенка. А Виктория... Нет, конечно, если бы она была маленькой девочкой, Вера бы, может, к ней и привыкла... Но она — взрослая женщина. А в доме должна быть одна хозяйка. Не то чтобы Вика вмешивалась в дела семьи, она действительно мало бывала дома. Но когда у них собирались гости — это самые унизительные для Веры моменты, — они делали комплименты только Виктории. Она красивее, она светская, она свободная, в конце концов... Вера прижала ладонь к своему животу. Это добавило ей решимости. Она права! Она боролась за свой дом и свою семью. И Вика ее семьей не являлась. Интересно, Петр хоть приблизительно знает, сколько любовников у его «полусироты»? Сколько мужиков, кроме него, готовы ее пожалеть и предложить свои квартиры, дома? Но ей пока неохота уходить. Ей удобно ни в чем себе не отказывать и оставаться папиной дочкой.

Она на примере Веры могла видеть, каких усилий от женщины требует семья.

Петр вошел, уже одетый, в свой кабинет, чтобы взять папку с документами. Невольно посмотрел на огромный портрет дочери. Ей здесь лет пятнадцать. Она стоит вполоборота между берез, вся в солнечных бликах, и лукаво, нежно улыбается. Она всегда была лучше всех. Он страшно ею гордился, ни в чем, естественно, не отказывал и даже стеснялся своей неуклюжести и непродвинутости. Все, чего он добивался, он делал ради нее. Она получила хорошее образование, он ничего не понимал в ее работе. Химия, биология. Его мама научила ее гордиться своим образованием, интеллигентностью. Поэтому дочь всегда брезгливо отвергала его предложения работать в богатой коммерческой фирме. «Я — ученый, — говорила Вика. — Я — не торговка». Когда у них появились деньги, их солидные знакомые заметно робели при контакте с Викой. То, что она знала, о чем говорила невзначай, для них это был космос. Она могла позволить себе получать гроши в НИИ, пока папа ее обеспечивает. А муж для такой девушки как-нибудь найдется. Только когда она стала взрослой, Петр позволил себе жениться. И вот что получается.

Он вышел из квартиры, не попрощавшись с Верой, сел в машину, хотел было набрать Вику, но вдруг вспомнил, как язвительно Вера спросила: «А ты хочешь сказать, что она с нами считается?» Он передумал звонить. Вообще-то могла бы и сама позвонить отцу. Она звонит, конечно, но лишь в тех случаях, когда ей что-то нужно. «Плохое утро», — подумал Петр и переключил свои мысли на работу.

Глава 15

Он вернулся в тот вечер раньше, чем обычно. Что-то мешало ему целый день. Некогда было вникать, пока не сообразил: Вера ни разу ему не позвонила. Она обычно звонила не меньше трех раз. Спрашивала, что приготовить, когда он приедет, говорила, как себя чувствует. Он отвечал коротко, на ходу, чаще всего: «что хочешь», «мне все равно», «не знаю, когда приеду». Но сами по себе эти звонки стали ритуалом, показателем, что все в порядке. Раз не позвонила, значит, всерьез обиделась. И ее можно понять. Он грубо с ней говорил, она в положении... И вообще, в чем-то, наверное, Вера права. Она вышла замуж за человека, который старше ее на пятнадцать лет, она хочет больше внимания, защиты, что ли... Вера не может принять, что Виктория для него ребенок, что он, как привык, готов защищать только ее. В том числе и от Веры. Это действительно несправедливо. Виктории, похоже, давно наплевать на его отцовские чувства. Судя по тому, каким она пользуется успехом у мужчин, защитников у нее достаточно. Но она продолжает жить с ними и могла бы немного уважительнее относиться к его жене. Когда Петр женился, он вообще мечтал, что Вика с Верой подружатся, как сестры. Он никогда толком не понимал женщин. Сейчас, когда его мучило чувство вины по отношению к жене, он испытывал раздражение, думая о Виктории. Он посвятил ей свои лучшие годы, она стала взрослой прекрасной женщиной, но пальцем не шевельнула для того, чтобы его семейная жизнь сложилась счастливо. Она не относится к Вере плохо, она никак к ней не относится! Как будто это очередная домработница в доме. А Вера на седьмом месяце. Недавно она говорила, что споткнулась на улице, чуть не упала. Потом долго не решалась сдвинуться с места из–за того, что сильно потянуло внизу живота, она испугалась, что может потерять ребенка. Он тогда не обратил на это внимания, сказал: «Да брось». А сейчас ему стало страшно. Так же действительно бывает. И даже его мама постоянно говорит по телефону: «Главное, чтоб она не нервничала. Это очень вредно для ребенка».

Петр быстро вошел в подъезд, но не успел нажать кнопку лифта: из него вышли мужчина и женщина в синих халатах «Скорой помощи» и направились к выходу. Он так растерялся, что не успел у них ничего спросить: у него по жизни была замедленная реакция. Но он не сомневался, что они вышли из его квартиры. Он влетел в лифт, поднялся на свой четвертый этаж, открыл ключом дверь... Вера его не встречала! Не было ее и на кухне. Он обнаружил жену в спальне на кровати, она лежала с закрытыми глазами, а на тумбочке на подносе были какие-то ампулы и использованные шприцы. Он застыл, не зная, как поступить. То ли звонить матери, чтоб приехала, то ли попробовать разбудить Веру: точно ли она спит, а вдруг это обморок...

— Петя, — слабым голосом сказала Вера, открывая глаза. — Не пугайся. Мне стало нехорошо, я вызвала «Скорую». Ты же знаешь, как я боюсь, что...

— А что они сказали? Почему оставили тебя одну? Почему ты не попросила их мне позвонить?

— Они сделали уколы, видишь, ампулы лежат... Сказали, что ничего страшного, мне стало лучше... Я за целый день крошки не могла проглотить, наверное, в этом дело. И не приготовила тебе ничего.

— Я сам приготовлю. Ты хочешь есть?

— Ты знаешь, сейчас, когда уколы подействовали, я бы... Нет, есть не хочу. Вот чего-то кисленького попить. Кумыс, например. Очень захотелось.

— В холодильнике есть?

— Нет, конечно. Ты ж его не любишь, я не покупаю.

— Сейчас пойду куплю.

— Ой, нет. Не надо. Не уходи. Не хочу оставаться одна.

Петр посмотрел на нее испуганно. А вдруг действительно с ней сейчас случится что-то страшное. Они, эти скорые помощники, вкололи беременной женщине что-то, ей стало на минуту лучше, они и свалили. А она боится одна оставаться. Он достал телефон и набрал номер брата Веры Ивана. Тот его иногда обслуживал как водитель, когда бывало много разъездов, в том числе — по области.

— Привет, Иван. Ты не занят?

— Домой еду.

— Заскочи к нам, пожалуйста.

— Не вопрос. Куда-то ехать?

— Да нет. Купи в магазине кумыс и... — Петр вопросительно посмотрел на Веру. — Что еще?

— Пусть еще дыню купит, — слабым голосом сказала она. — А я пока посплю немного.

Петр отдал распоряжение Ивану, тихо вышел из спальни, прошел на кухню, сел за стол. Есть и ему не хотелось. Он курил, ждал Ивана, сомневался в своем семейном счастье и не представлял, как можно разрулить эту ситуацию. Ежу понятно, что неприятность с Верой случилась из-за поведения Виктории и его реакции на нормальное по сути замечание жены. Дальше будет только хуже. Вера теперь не одна, вместе с ней на все реагирует ребенок, мать права... Петр взял телефон, чтобы позвонить Виктории и хоть раз сказать ей пару взрослых, мужских слов. Ее детство и безнаказанность кончились, начинается детство такого же родного для него существа. Для нее вообще-то тоже родного! Он не успел позвонить. Пришла СМС. От Виктории. «Папа, извини, не успела позвонить. Внезапно подвернулась путевка. Мы с другом летим на две недели в Турцию. Обязательно оттуда позвоню. Целую». Он перечитал сообщение несколько раз, чувствуя, что его оскорбили. Это уж слишком. Не успела позвонить! Ночи и дня ей с другом не хватило! Когда она соизволит позвонить, он сбросит звонок. Ей некогда, а ему не о чем с ней разговаривать. Он даже не знает, о каком друге идет речь, и не собирается это уточнять. У него жена чуть ребенка не потеряла из-за этой эгоистки.

В дверь позвонил Иван. Петр впустил невысокого широкоплечего парня с круглым румяным лицом, взял у него пакет, рассчитался.

— Спасибо, дорогой.

— Так завтра как договаривались? — спросил Иван.

— Наверное, все отменяется. Вера заболела.

— А чего с ней?

— Ну, всякие осложнения, как это бывает. Вроде уже лучше. Но я завтра, наверное, с ней побуду.

— На работу не поедете?

— Скорее всего, нет. Виктория в Турцию улетела.

— А че это? Разве у нее отпуск?

— Не знаю. Наверное, взяла. Мне не сообщила. С другом улетела.

— Что за друг?

— Вань, спроси чего полегче. Слишком ты любознательный сегодня. Иди. Завтра позвоню.

Иван невозмутимо кивнул, вышел. Петр закрыл за ним дверь, налил в высокий стакан кумыс, помыл, почистил и нарезал мелкими кусочками дыню, поставил все на поднос, вошел в спальню. Вера не спала, она вроде немного порозовела. Улыбнулась, устроилась удобно на подушках, он поставил ей на колени поднос. Она жадно пила, аккуратно ела дыню, потом отдала ему поднос и откинулась на подушки.

— Ох, отпустило. Легко так стало. А Вика пришла?

— Нет. Она улетела в Турцию на две недели.

— А, — протянула Вера. — Ну, пусть отдохнет. И мы тоже немножко. Ты не сердишься, Петенька, что я так говорю? Просто тяжело ждать по вечерам: придет — не придет...

— Не сержусь, на что?..

Петр прилег рядом с женой, осторожно притянул ее к себе, легонько поцеловал в губы, шею... Он чувствовал то же, что и она. Впереди две недели отдыха от постоянного напряжения в доме. За это время нужно присмотреть дочери квартиру. Где-то недалеко. Ей нравится этот район.

Глава 16

Когда Коля и Марина подошли к ее дому, начался дождь.

— У тебя есть зонтик? — спросил он.

— Нет. Я их терпеть не могу. Глупая идея: руки заняты, ничего не видишь, всех спицами цепляешь... А ты боишься дождя?

— Просто избегаю процедур, которые не заказывал. Если мне захочется побыть в мокрой рубашке и штанах, я вылью на себя ведро воды. Когда нет такого желания, предпочитаю оставаться сухим.

— Это ужас, сколько у тебя заморочек по каждому поводу. А мне иногда даже нравится дождь. Сейчас, например. Такой день хороший: все решилось, мы это отметили, скоро новая жизнь настанет, старую пусть смывает. — Марина подняла вверх лицо и рассмеялась.

— И все-таки пошли под дерево, мне кажется, оно помнит французов 1812 года. Под ним точно сухо.

Он взял ее за руку, потянул к толстому стволу старого дуба. Они стояли очень близко, он ее руку не отпускал, она не отнимала. Он внимательно разглядывал ее лицо, мокрое от дождя, она не отводила взгляда.

— Что скажешь? — наконец спросила она.

— Скажу, к примеру, почему ты, в отличие от большинства женщин, не любишь зонтики. Ты не боишься, что твои волосы расползутся по голове безобразными жидкими прядями. Они у тебя, наоборот, легли красивыми завитками. И ты не боишься, что тушь смоет с ресниц: тебя это не портит. Я думаю, девчонкой ты была воображалой, я таких десятой дорогой обходил. Мне казалось, что они меня обидят.

— Обижали?

— Каким образом? Я же обходил. Меня обижали другие, те, что ходят под зонтиком...

— Ой, ты случайно не хочешь, чтобы я тебя пожалела?

— Хочу. Но это не срочно. Какая у тебя интересная родинка под ухом. Круглая, как монетка.

Коля неожиданно для самого себя наклонился и дотронулся губами до темного пятнышка на нежной стройной шее. Марина мягко отодвинулась, положила ладонь на его губы. Он поцеловал ее пальцы, подержал их в руках, рассматривая.

— Интересно, что это значит? Настоящая татуировка?

— Да, представь себе. Мы с мужем так поженились: пришли в загс в одинаковых джинсах, клетчатых рубашках, кедах и вместо колец сделали себе татуировки на пальцах: у меня «А» — Александр, у него — «М».

— Кто придумал?

— Кажется, Саша, а мне понравилось. Кольцо можно снять, а это — на всю жизнь.

— Оригинал он у тебя, однако. А на груди вы ничего не написали? Ну, там: «Люби меня, как я тебя»? Или: «Здесь был Вася». Пардон, Саша?

— Нет, больше на мне ничего не написано. Ты не понимаешь, потому что такой же консерватор, как все остальные. В загсе тоже тетки кудахтали: «Брачующиеся, где ваши кольца, какие же вы брачующиеся...» Мы просто хотели быть не как все.

— Так и получилось. Не как у всех, а как у некоторых. Зэки ходят с такими знаками любви... Извини, заболтался. Не хотел тебя обидеть. А его, может, и хотел. Зачем он тебя пытался изуродовать? Но тебя украшает даже это.

Коля вдруг поцеловал ее долгим поцелуем, такой разрушает все границы между мужчиной и женщиной. Он пил ее красоту, с наслаждением ощущая ее зубы, язык, дыхание, теплую влагу, которой нельзя утолить жажду... Наверное, он впервые так много испытал, целуя женщину. Отпустил ее и небрежно сказал:

— Дождь кончился. Беги. А то твой Саша от волнения выгрызет букву «М» на пальце.

— Что ты к нему привязался, — рассмеялась Марина. — Бегу. Пока?

— Пока.

— Ты опять не спрашиваешь у меня телефон.

— А зачем? — с искренним недоумением посмотрел ей в глаза Коля. — Я не любитель телефонных бесед.

— Да, — кивнула Марина. — С тобой все ясно. Ты тоже был воображалой, когда тебя обижали девочки с зонтиками. Думаю, что били за это.

— Попадались и садистки, — скорбно сказал Коля. — Вся душа изранена. Увидимся.

Он быстро пошел и ни разу не оглянулся, хотя ему очень хотелось. Марина побежала к дому. Во дворе замедлила шаг. Она была в смятении. Ну да, ей нравится внимание этого человека, он странный, симпатичный, она бы хотела, чтобы у них были дружеские отношения... Тьфу ты, какая пошлость. Какие дружеские отношения? Они уже не дружеские. В ней кровь загорелась, когда он ее поцеловал. Ну и что? Она — верная жена и в то же время живая молодая женщина. Совершенно ничего не значит то, что ей нравится с ним общаться. Впрочем, он может завтра и не прийти. Вообще никогда больше не прийти. Она не знает, где его искать, у нее нет его телефона, и ей все это не нужно. У нее все в порядке, просто они с Сашей немного устали от напряжения последних лет. Что-то ушло. Но все вернется, обязательно...

Дома Коля сразу набрал телефон частного детектива Кольцова.

— Добрый вечер. Это Николай. В общем, у нее круглая родинка на шее, под правым ухом. И татуировка на безымянном пальце левой руки — буква «А». Мужа зовут Александр. Это все, что я смог увидеть. Мы мало знакомы.

— Понятно, — сказал Сергей, — это немало. Пока у меня нет ничего для вас. Даже шанса на то, что я смогу вам чем-то помочь.

— Как получится. — Коля положил трубку.

Он до утра просидел за столом в мамином кабинете, пытаясь думать. Но в голове крутилось одно слово — «шанс». Оно пылало, рассыпалось на сверкающие знаки, вновь выстраивалось рядом черных букв, не оставлявших надежды. Шанса не было. Он его не находил.

Глава 17

За час до конца рабочего дня у Марины зазвонил мобильник, определившийся номер был ей незнаком.

— Да, слушаю.

— Привет, Марина. Это я...

— Простите, не узнаю. Вы не ошиблись номером?

— Да нет, это Николай. Который тебя встречает после работы.

— Ой. А откуда у тебя мой номер? Ты ж его не знаешь!

— Забыл сказать: я маг и экстрасенс. Ну, по телику еще у них, то есть у нас, битва.

— Смешно.

— До ужаса. Я хотел сказать, что сегодня не смогу тебя встретить. Нужно съездить по делу...

— У тебя есть дела?

— Да, раз в десятилетие. Сегодня как раз тот случай.

— Понятно. А почему ты меня предупреждаешь? Мы вроде бы ни о чем не договаривались.

— Сам не знаю. Просто пришла в голову неожиданная и оригинальная мысль: «Мы в ответе за тех, кого приручаем». А вдруг, подумал, она, как стерх, привыкла лететь за дельтапланом, то есть — за мной...

— Господи боже мой, я такого болтуна еще не встречала. Это, пожалуй, действительно затягивает. В общем, ты не беспокойся. Я доберусь.

— Отлично. Передай привет вчерашнему дубу. Мы с ним понравились друг другу. Единомышленники.

— Обязательно.

— Пока.

— Пока.

Марина сложила на столе руки, опустила на них голову, закрыла глаза. Очень тепло ей стало при воспоминании о вчерашнем дубе... Когда она подняла голову, рядом с ее столом стоял шеф. Константин.

— Не выспалась ночью? — спросил он.

— Да нет, нормально. Просто глаза устали.

— Да, ты, конечно, много работаешь. А я как раз хотел тебя попросить ко мне зайти. Там платежка одна пришла, почему-то ее мне положили, без тебя не разобраться. Боюсь завтра забыть о ней. Ничего?

— Конечно. Я сейчас зайду. Только соберу сумку, чтобы уже не возвращаться.

— Давай. Жду.

Марина причесалась, расстегнула тугой пояс джинсовой юбки, поправила облегающую трикотажную черную блузку с узким вырезом и длинными рукавами, застегнулась, покрутилась перед небольшим зеркалом на стене. Она очень следила за тем, чтобы все на ней сидело идеально. Собрала сумку, прошла по коридору к кабинету шефа. Сотрудники уже ушли. В приемной не было и секретарши. Она открыла дверь, подумав, что не предупредила мужа, что задержится. Ну, это же на минуту — только взглянуть... Она остановилась на пороге: что-то не так. Верхний свет почему-то не горел, только настольная лампа на письменном столе. Сам Константин стоял перед ней, как будто именно здесь ее ждал все это время.

— Давайте посмотрим документ, — проговорила Марина. — Если сразу не разберемся, я возьму его с собой. Обещала мужу сегодня вовремя приехать... Кроватку новую привезли, нужно все переставить...

— Ты успеешь, — сказал Константин, закрывая дверь на ключ, который зачем-то вынул из замочной скважины и положил в карман.

Марина сделала вид, что ничего не заметила, прошла к его письменному столу и, когда он приблизился, прямо посмотрела в его глаза. Ей все стало понятно, но она не сомневалась, что поставит его на место. Этот его взгляд — глаза как капли расплавленной смолы — она уже не раз замечала. Все обходилось без лишних слов. Марина умела продемонстрировать мужчине легкое безразличие и лояльную прохладцу.

...То, что произошло потом, было как в кошмарном сне. Он бросился на нее, словно взбесившийся бык. Она боролась, вырывалась, уговоры были неуместны в этой ситуации. Он рвал на ней одежду, хрипел и сопел, его толстые пальцы она чувствовала везде. Когда он завалил Марину на стол, ей удалось ударить его коленом в пах. Так учили на курсах самообороны. Он отлетел со сдавленным стоном, она приподнялась и стянула с ноги туфлю на шпильке, готовая на все: хоть глаз ему проткнуть каблуком. Но он перехватил ее руку, выкрутил, бросил туфлю на пол. Схватил ее за волосы и ударил по лицу. Марину никто никогда не бил. Глаза ослепли от жгучих слез. Он потащил ее к дивану, швырнул, стал срывать одежду.

— У тебя ничего не получится, — наконец смогла выговорить Марина. — Хоть убей, хоть сдохни тут на мне... Ты — омерзительная, тупая скотина.

Он дернулся, как от боли, навис над нею, держа за руки, прижимая коленом.

— Ты скоро пожалеешь об этих словах, — прошипел он. — Тебе конец. Я уже свечку приготовил за упокой...

...Коля с Игорем Васильковым вышли из офиса Николаева.

— Зря ходили, — сказал Кузнецов. — То, что он обо мне думает, я мог бы легко себе представить. Не теряя времени на повторение уже усвоенного.

— Нет, не зря, — меланхолично сказал Игорь. — Он поорал, поругался, а потом сам позвонит. Точно говорю тебе. Он своих не бросает. Я, может, к ночи сам ему звякну, спрошу, что он думает... Ты давай, продержись. Я сказал, в случае чего будем сами отбиваться. Просто Николаев — голова...

— А мы — нет, — оптимистично заметил Коля. — Спасибо, старик. Ты настоящий друг. Я в метро. Пока.

Но до метро Коля не дошел. Раздался звонок, он с удивлением услышал голос Егора.

— Это я. Ты сегодня не пришел за тетей, а она не выходила. Точно. Я все время смотрел. Все вышли, а она — нет.

— Может, ее на работе не было?

— Была. Мы как раз гуляли с Грэем.

— Я сейчас там буду. Такси поймаю. Я недалеко.

— Я тебя тут подожду.

Коля вышел из машины у ворот «Просвета» через десять минут. В темноте маячила детская фигурка с лохматой собакой.

— Слушай, делаем так, — сказал Коля. — Ты сейчас идешь с Грэем во двор, в идеале — пусть он поссыт у входа. Охранник выскочит, вопить на тебя начнет. Ты что-нибудь расскажи ему интересное, извинись, уведи собаку... Я тем временем проскочу. Не боишься?

— Конечно, нет. Все охранники на нас орут, но они никогда не тронут. Боятся. Они ж не знают, что Грэй добрый, как ангел, и слепой к тому же.

— Действуй.

Пока охранник воспитывал Егора, который с воодушевлением рассказывал ему что-то очень трогательное, Коля спокойно вошел в здание. Контора демонстративно убогая, типа ЖЭКа, что говорит об осмотрительности и скрытности владельца. Коля без труда нашел кабинет главного бухгалтера, но он оказался закрытым. Затем решительно направился в приемную руководителя. Она была пустой. Кабинет закрыт, но в нем кто-то был. Звуки, которые раздавались за дверью, не оставляли Коле выбора. Не слишком крепкую дверь он вышиб плечом без труда.

— Не помешал? — произнес он над ухом обезумевшего Константина.

Тот уставился на него, еще не соображая, что произошло, но уже по-звериному быстро собираясь для обороны, встал, застегнул штаны, рубашку, закрыл спиной истерзанную Марину.

— В чем дело? — спросил он наконец почти ровным голосом.

— Я пришел за своей девушкой, — объяснил Коля. — Она не вышла с работы, в кабинете ее нет, ну, я заглянул сюда. У вас проблемы?

— Придурок! Пошел вон!

— То есть вы советуете мне оставить девушку в столь двусмысленном положении? Или у вас все в порядке? Марина, у вас все в порядке?

— Коля, давай тихо уйдем, я не хочу, чтобы кто-то знал...

Марина поднялась, не глядя на Константина, и вцепилась в руку Николая.

— Тут есть туалет? — спросил он. — Попробуй умыться, привести себя в порядок. Я жду.

Когда Марина вышла, Коля небрежно осведомился:

— И что это было? Костик, ты случайно не решил выполнить мою работу? Без предупреждения. Так грубо. Мне это не понравилось. Если решил — пожалуйста, только расходные я не верну. Не было такой договоренности.

— Слушай, я своих решений не меняю. Только потому ты после этого цирка выйдешь отсюда на целых ногах. С непробитой башкой. Вези ее. Но теперь времени — неделя, понял?

— За срочность — другие деньги, да?

— Два лимона... евро. Будут в твоей квартире, когда мы с вдовцом ее опознаем.

— Не сомневаюсь, что будут, — широко улыбнулся Коля. — Я уже понял, для тебя дело — самое главное.

Марина позвала Колю из приемной. Он на прощанье внимательно заглянул Константину в глаза. Тот пробормотал:

— В общем, забыли эту ерунду. Ты, как мужчина, меня понимаешь... Не сдержался. Все равно, думаю...

— Не может быть, — удивился Коля. — Неужели ты такая мразь, Костик?

Глава 18

Марина, скрепившая юбку со сломанной молнией и блузку с отлетевшими пуговицами английскими булавками, которые всегда на всякий случай носила с собой, как учила мама, в темноте выглядела почти нормально. Они прошли мимо мальчика с собакой, Коля серьезно пожал ему руку, сунул в карман немного денег: «Купи себе и Грэю поесть, магазин еще открыт. Спасибо большое. Ты — настоящий мужик!»

Такси они с Мариной поймали быстро. Коля посадил ее на заднее сиденье, но тут его окликнул Егор. Он подошел к нему:

— Что, малыш?

— Дядя Коля, — бойко сказал мальчик. — У меня скоро день рождения. Я уже давно прошу маму купить мне пиэспи, а она не покупает.

— Не понял, о чем ты... А, это такая фиговина, игрушка... Вообще-то она для маленьких. А к чему ты... Извини, ты хочешь, чтобы я тебе дал на нее деньги? Сколько она стоит?

— Ерунда. Тысяч шесть. И диски к ней примерно по тысяче...

Коля смотрел на парня с удивлением пару секунд. Что-то не так. Но вникать некогда. Он вынул из бумажника десять тысяч, положил ему в ладонь. Взглянул в невинные глаза. Ни радости, ни смущения, вроде бы даже он рассчитывал на большее... То есть Егор выполнял платную работу? Это была не дружба? «Я никогда ничего не понимал в детях, — подумал Коля. — Равно как и во взрослых».

Он сел вместе с Мариной на заднее сиденье, и тут она совершенно обессилела. Сидеть не могла. Положила голову на его колени, закрыла лицо ладонями, поджала ноги... Ее била дрожь запоздалого страха, ярости, унижения. Коля боялся шевельнуться. Он не мог ее утешить. Он не знал, как это сделать. Он думал о том, каким бы это было счастьем, если бы сегодняшнее происшествие оказалось для нее самым большим испытанием. Он ощущал ее тело, горячее и дрожащее, его джинсы промокли от ее слез... Его душа тосковала и холодела, скованная льдом отчуждения... Мысли были настойчивые и почти безумные. «Она плачет, как живая. Я держу ее в руках, как живой...»

Они вышли из такси у ворот ее двора.

— Я отведу тебя домой, — решительно сказал он. — Версия такая. На тебя напали хулиганы, я отбил. Нормальная версия, в это поверит даже муж–блондин.

— Хорошо, — согласилась Марина.

Она позвонила в дверь квартиры, Саша открыл и в изумлении уставился на них. В свете прихожей были видны и булавки, и воспаленные от слез глаза, и горящая от сильного удара щека.

— Что случилось?

— Ничего страшного, — ответил Николай. — Извините, что вторгаюсь к вам, мне повезло отбить вашу жену у группы каких–то дебилов. Решил довести до места, чтобы точно знать, что все в порядке. Николай. — Он протянул руку ее мужу.

— Александр, — растерянно ответил тот. — Видимо, нужно срочно звонить в полицию?

— Только не это, — быстро проговорила Марина. — Они давно убежали. Я еще стояла там и ревела, Николай еле меня успокоил. Это, наверное, были обкурившиеся подростки, я не рассмотрела. Не хочу ничего никому рассказывать. Спасибо, Николай. Может быть, вы чаю выпьете у нас?

— Нет, — решительно сказал Коля. — Меня тоже ждут, чай я не люблю, а вам нужно срочно выпить что-то успокоительное и лечь спать. Я пойду.

— Очень вам признателен. — Саша еще раз пожал Коле руку. — Извините, я хотел вас отблагодарить...

— Вы решили заплатить за мой рыцарский поступок? — Коля ясно посмотрел на них, как Петр Первый с портрета. — Обижаете. Марина, носите с собой электрошокер.

Он вышел, Саша растерянно смотрел на жену, глаза которой опять наполнились слезами.

— Какой он... странный. Наверное, хороший человек. Нам повезло. Почему ты плачешь? Они точно ничего с тобой не сделали?

— Точно. Я пойду в ванную.

— Может, разбудить маму, чтобы дала тебе лекарство?

— Ни в коем случае. Саша, я прошу тебя ничего не говорить Нине Валентиновне.

— Я понял.

Когда она легла в постель, накрывшись с головой одеялом, он осторожно лег рядом, мягко повернул ее к себе.

— Не нужно, — попросила она.

— Мариночка, я хочу, чтобы все было как обычно, чтобы ты не оставалась с этим стрессом. Мне кажется, так надо.

Они были близки, как очень родные люди, но она не оттаяла совсем. Ей стало тепло, но о наслаждении не шло и речи. Он уснул, а она лежала рядом, ощущая, как по всему телу от сердца к горлу волнами поднимается и падает что-то холодное, гадкое, скользкое... Женская беда. Мерзавец хотел ее растоптать, использовать как вещь. Что бы произошло, если бы не появился Николай... И тут Марине почему-то стало совсем тошно. Очень уж спокойно и подружески общался с этим подонком Николай. Как будто они оба понимали, что все это ерунда. Ну, один хотел ее изнасиловать, другой помешал. Нормальный эпизод мужской жизни. Если бы не успел помешать, тоже ничего страшного. Не смертельно. Не девочка вообще-то. Марина представила себе, как повел бы себя в подобной ситуации ее муж. Ну, разумеется, он бы хотя бы морду набил Константину. Потому что любит ее и не смог бы сдержаться. А Коле и сдерживаться не пришлось. Рисуясь, как обычно, совершил «рыцарский поступок». Сейчас, видимо, очень доволен собой, если вообще еще об этом помнит. Она даже не знает, с кем он живет. Его ждут... К утру ее подушка промокла от слез.

...Коля приехал домой, сел на кухне за стол, стал курить, застыл на несколько часов, практически ни о чем не думая. Только временами видел себя как будто сверху, как это бывает во время клинической смерти. Это его немножко развлекло. Потом раздался звонок в дверь. Он равнодушно подумал: а вдруг они решили от него избавиться после сегодняшней истории? Может, нашли более покладистого киллера. Пошел открывать.

— У тебя был пожар? — спросил бывший командир Андрей Николаев, войдя в прихожую.

— Почти. Я покурил и, кажется, обуглился.

— Ясно. Клоунада как образ жизни и смерти.

— Здорово, — восхитился Коля. — Я не знал, что вы такой умный.

— Мы отвоевались. Можешь говорить мне «ты».

— Так плохи мои дела, Андрей? — Коля внимательно посмотрел в узкое бледное лицо бывшего командира. — Только не целуй меня в лоб, пожалуйста.

— Не дотянусь, — сказал Николаев. — Пошли посидим. Я водки принес. Может, и не отвоевались. — Он улыбнулся, открыв крепкие белые зубы.

Глава 19

Александра Васильевича Масленникова вызвали для сложной экспертизы в подмосковный морг. Очередной повесившийся. Следователь долго излагал в машине аргументы в пользу суицида: с одной стороны, вроде успешный бизнесмен, начинающий политик, с другой — мать показала, что у сына случались депрессии. С одной — бывшая жена судилась с ним из–за дома, с другой — нынешняя сообщила, что они в процессе оформления сделки на приобретение очень дорогой квартиры. С одной...

— Стоп, — сказал Александр Васильевич. — Прошу прощения, но мне поручили сделать экспертизу, а не вникать в подробности судьбы усопшего. Это ваше дело — создавать многосторонние версии, мое — всего лишь сделать заключение: сам или ему помогли.

— Я к тому, что начальство склоняется к версии суицида.

— Первый раз слышу, что начальство может склоняться к какой–то версии до экспертизы, — отчеканил Масленников, и следователь надолго замолчал.

Он это слышал, разумеется, не первый и даже не второй раз и знает, что к чему, но раз вызвали его — с заказной версией легко не будет. Он простился у морга со следователем, сказал, что сообщит по телефону предварительный результат. Сам акт будет готов в течение трех дней. В коридоре Масленникова уже ждал патологоанатом морга — бывший сокурсник Толя Никитин. Хороший специалист, навсегда, похоже, застрявший в этом скромном перевалочном пункте для тех, чьи хлопоты в этом мире закончились. Толя никуда не торопился и сильно выпивал. Как он сам говорил: не успеешь проводить одного в мир иной, уже надо наливать другому...

— Все готово, — сказал он Александру Васильевичу. — Не хочешь тяпнуть для бодрости?..

— Спасибо, друг. Я не обижу тебя, если скажу, что сегодня, как назло, бодр? К тому же вечером занятия с дипломниками.

— Обидишь, — грустно сказал Толя. — Меня не обижают только мои пациенты.

— Как тебе этот повесившийся?

— В общем, не хочу забегать вперед, но я бы повесился иначе.

— Уже интересно.

Они направились в анатомический зал, долго, сосредоточенно работали... Так же долго и молча потом мылись, курили в коридоре у окна.

— Ладно, — вдруг сказал Александр Васильевич. — Зайдем к тебе на минутку. Как-то снизился градус бодрости.

Они вошли в достаточно уютный кабинет. Масленников с наслаждением уселся в глубокое кресло, вытянул длинные ноги. Анатолий разливал коньяк, как священный напиток.

— За упокой, — произнес Александр Васильевич, осушив залпом свой стакан.

— Что скажешь? — Анатолий прислушивался к тому, как горячая жидкость зажигает его кровь, постоянно стынущую в компании теней.

— Ты сам видел. Изменения гортани, пищевода, желудка, характерные для сильного отравления. Что-то точно обнаружится в ткани мозга. Перед смертью явно были судороги и рвота. Повесили теплым, но уже без сознания. Потому следов насилия не найдем, но, как ты верно заметил, висел он не так.

— Скоты, — почти торжественно заявил Толя.

— Ну да... Слушай, я вдруг вспомнил. Один знакомый детектив спрашивал. Ищут, — пока неофициально — молодую женщину. 28 лет, рост около 170, вес до 50. То есть просто наводят справки пока без ведома родственников, которые надеются, и, возможно, совершенно справедливо, что она жива. В общем, дело со всех сторон деликатное.

— Такие всегда есть, — пожал плечами Толя. — Нужны особые приметы.

— Понятно. Речь о тех, что поступили недавно.

— Позавчера. Привезли с Киевского шоссе. Выстрел в затылок, пуля навылет, лицо — не опознать. Хочешь посмотреть?

— Да, — задумчиво сказал Масленников.

Через двадцать минут он простился с бывшим однокашником, которому уже не было грустно, и вышел на улицу. Уже подъехал водитель на его машине. Александр Васильевич никогда не садился сам за руль до и после работы. У него было немного предрассудков, но в ауру смерти он верил. Точнее, знал, что это такое. Когда они въехали в Москву, он набрал телефон Сергея Кольцова и коротко сказал:

— Ты у себя? Подожди, я заеду через полчаса.

В кабинете Сергея они поговорили о разном, поделились новостями, обсудили наиболее важные. Александр Васильевич наконец с интересом взглянул в голубые и слишком безразличные глаза собеседника. Интересно, как долго Сергей может скрывать свое любопытство? Ежу понятно, что он вырвал это время в своем до предела расписанном дне не для того, чтобы обсудить с Кольцовым погоду, политику, нового начальника Славы Земцова. Сергей не отвел взгляда. Он просто стал у него еще более невинным и преданным.

— Сережа, можно сделать тебе комплимент? — не выдержал Масленников. — Только моя хаски Холи смотрит на меня так, как ты сейчас.

— Серьезно? — с радостным смущением спросил Сергей. — Сказать, что я польщен, — это ничего не сказать. Вы можете не помнить, но на своем юбилее, в кругу друзей и соратников, вы так мило заметили: «Смотрю я на ваши пьяные глупые рожи и думаю, что нет на свете красивее и умнее создания, чем моя собака Холи».

— Я произнес такую речь? — озадаченно спросил Александр Васильевич. — Вообще-то мог. Ладно, Сереж, некогда мне в твои игры играть. Скажу сам, зачем приехал. В общем, я не забыл наш разговор. Тенденции сейчас знаешь какие. Не убийства, а сплошь суициды и несчастные случаи. Но дело не в этом. Лично я считаю, что менять систему — не мое дело. Мое... Я сегодня ночью вспомнил одно мое дело. Нормальные ребята собрались накрыть подпольный абортарий. Очень изворотливый там был частник с лицензией практикующего гинеколога. Маленький кабинет. Ни на чем его взять не могли. Одни слухи вроде. Решили за одной женщиной проследить, матерью двоих детей... История долгая, тебе неинтересная. Удачная для ребят была операция. Накрыли, он сам собственный крематорий показал... Горстку свежего пепла дали мне на экспертизу. Это и была та самая молодая прекрасная женщина, за которой ребята следили, чтобы взять преступника с поличным. Взяли... С тех пор я точно знаю, что такое опоздать. Короче, подходящее тело появилось. Пока никто его не ищет. Если вы готовы рискнуть, то мои условия такие. Как только заказанная женщина будет в безопасности, твой клиент идет с повинной. То ли все берет на себя, то ли делит с тобой. Далее все, как ты обещал. Вы подбираетесь к этому заказчику, в идеале — к его «крыше», которая кажется тебе заоблачной. И расследуете убийство девушки, что сейчас лежит в морге с простреленной головой.

— Я потрясен, — сказал Сергей. — То есть не рассчитывал и даже думал, как бы забыть эту историю. Но раз так... Раз вы... Вдруг что-то и получится.

Глава 20

Петр Князев отдыхал. То есть он, как всегда, ездил на работу, на деловые встречи, уже посмотрел несколько квартир, выбирая подходящий вариант для Виктории. Просто в доме его наступил мир и покой, каких не было, пожалуй, за весь год их жизни с дочерью и Верой. Жена стала кроткой и нежной. Вновь звонила не меньше трех раз в день, готовила вкусные завтраки и ужины, показывала всякие прелестные детские вещички. Петр даже не понимал, почему он раньше не пришел к столь разумному решению. Точно тугодум, как говорит мама. Вике наверняка понравится жить самостоятельно. Почему взрослая женщина мужчину не может пригласить к себе? Понятно, что ей не хотелось всякий раз докладывать отцу и мачехе о том, с кем она собирается провести ночь. А так — все встанет на свои места. Ее квартира будет совсем близко. Петя сможет заезжать к Вике хоть каждый день, они будут разговаривать свободно, как когда-то до его женитьбы. Им не придется придумывать темы, интересные Вере. И наоборот, Вера перестанет жить в постоянном напряжении, понимая, что ей никогда не стать для Виктории близким человеком. А потом Вика выйдет замуж, у нее родится ребенок, может, не один. Семья станет большой, дети помирят мам... Появятся совсем другие, приятные заботы, общие интересы. Петр заехал к матери, рассказал о том, что покупает Виктории квартиру. Она одобрила, только спросила:

— А Вика?

— Приедет — скажу. Не по телефону же это обсуждать.

— Ты только ничего не покупай, пока она точно не скажет, что нравится. Знаешь, какая она.

— Знаю, мама. У меня для нее будут разные варианты.

Он несколько раз пытался набирать номер дочери, но телефон был заблокирован. То ли с роумингом что-то, то ли она отключила мобильник, чтобы ей не мешали. Она часто так делала. Пару раз ему звонили ее приятельницы с работы. Он сказал им, что она внезапно уехала отдыхать в Турцию, ориентировочно обещала вернуться через две недели. Никого особенно не удивляло, что она не написала заявление на отпуск за свой счет. Вика так уже поступала не раз. Все привыкли к тому, что ей это сходит с рук. Иногда, правда, Петя покупал ей бюллетени у знакомого врача. Так повелось еще со школы, с института: Вике часто не хотелось туда ходить, а на здоровье, слава богу, она пожаловаться не могла. Петя с мамой были солидарны в этом вопросе. Девочка умная, способная, учится хорошо, сама может выбирать себе режим занятий и отдыха. Судьба и так была к ней несправедлива, отобрав рано мать.

Вечером по дороге домой Петр заехал в ювелирный магазин и купил жене красивый кулон в виде цветка из крупных рубинов в обрамлении чистых, ярких бриллиантов. В этот день они всегда отмечали дату первой встречи. Будут гости. Вере с утра помогали готовить приходящая домработница, мама Петра, Ирина Викторовна, и брат Веры, Иван.

Петр вошел в квартиру, в которой пахло цветами и выпечкой, Вера быстро прильнула к нему и сказала:

— Быстро переодевайся. Я немного задержалась. Сидоркины уже звонили с дороги.

В спальне на кровати лежало ее новое вечернее платье из кремового шифона. Когда она скользнула в него, Петр с удовольствием посмотрел на ее ладную фигурку, которую только украшал небольшой животик, скрытый в мягких складках, спадающих из-под атласной ленты под красивой и упругой грудью в глубоком вырезе. Петр торжественно достал футляр, велел Вере закрыть глаза, застегнул у нее на шее цепочку с новым кулоном. Она посмотрела и ахнула восторженно, крепко обняла его, прижалась всем телом. Он не очень хорошо разбирался в женском настроении, но тут даже он не мог ошибиться. Вера предвкушала вечер, на котором именно она будет единственной хозяйкой. Теперь ей не придется тоскливо наблюдать, как гости стелются у ног Виктории. Собственно, сегодня они ждали самых близких друзей. Два пары и один холостяк, остряк, что-то вроде записного тамады. Сеня Курочкин поначалу всегда был очень забавным, но рано или поздно его приходилось тормозить и выпроваживать. Сам остановиться он не мог — такова особенность его дарования. Но к этому уже все привыкли.

Они вышли к гостям, когда все были в сборе. Всех встретила Ирина Викторовна. Гости пили по первому коктейлю. Сеня рассказывал очередной анекдот, все смеялись.

— Как ты божественно выглядишь, — метнулся Сеня к Вере и поцеловал ей руку.

Все его поддержали. Ирина Викторовна предложила пройти к столу. Нарядная домработница Нина и Иван в темном костюме и белой рубашке раздвинули двери огромного зала, где был накрыт овальный стол. Сеня решительно поднял руку:

— Одну минуту, господа! Еще одна маленькая притча, которую нельзя рассказывать за столом, но зато потом будет за что выпить. Итак, прилетает Бог к Адаму и Еве и говорит: «Я принес вам два подарка. Первый Адаму. Это позволит ему писать стоя, не испытывая неудобств». Адам в полном восторге. Сразу начинает пользоваться. Писает туда, сюда, вверх, вниз, на Еву, хохочет. Бог наблюдает, потом говорит: «Извини, Ева. Второй подарок — тоже Адаму. Это мозги. А то он зассыт весь мир».

Все смеются, Ирина Викторовна безнадежно машет рукой: Курочкин неисправим. Они проходят к столу. Сеня встает, чтобы произнести тост:

— Мы пьем за первую встречу Веры и Петра. Она прекрасна, как Мадонна, ему, как я сказал уже, Бог подарил и мозги. Так пусть же они пользуются всеми дарами нам на радость.

Все опять смеются, пьют, закусывают... Через три часа все сыты не только прекрасными напитками и едой, но и юмором Курочкина. Дамы украдкой зевают. Петя подсаживается к массовику-затейнику и дает знак Ивану, который уже стоит в дверях. Пора, мол, приступать к транспортировке. Но Сеня этот момент предвидел. Он встает и торжественно заявляет:

— Я знаю: вы подло и коварно мною воспользовались, а сейчас хотите избавиться. — Его дикция явно пострадала от выпитого. — Но вы не в курсе, какой сюрприз я сегодня вам приготовил. Это сюр, это писк, это визг, это режим онлайн, реалити-шоу. Где тут компьютер? Включите, и вы поймете, кто такой Сеня Курочкин и кто вы есть без него!

Петр, улыбаясь и пожимая плечами, включил компьютер. Сеня достал из кармана диск.

— Это технически было не просто, скажу я вам. Перегонять на диск с таких маленьких кассет... Но для меня нет преград.

...На мониторе появились предметы мебели. Потом стало ясно, что это комната, причем спальня Петра и Веры. Освещение тусклое, горит только ночник. Петр и Вера целуются, он опрокидывает ее на постель... В оторопелой тишине все перестали даже дышать. Петя пытается отлепить язык от нёба, послать к черту Курочкина, выдернуть диск, но тут... Действующие лица меняются. На кровати Вера, но с ней не Петр. Верины ноги раскинуты под широким, почти квадратным, загорелым телом мужчины, сверкают его белые ягодицы. Мужчина поднимает голову — и все с ужасом узнают Ивана! Никто не шевелится. А на мониторе — другой интерьер. Другая кровать, другая обнаженная женщина. Это Виктория. К ней подходит голый, загорелый Иван с белым задом... Раздается сдавленный крик Ирины Викторовны: «Петя, выключи это!» Петр не может сдвинуться с места. Он смотрит. Меняется освещение. Ясно, что это день, дневной свет. Виктория полулежит на кровати, едва прикрытая простыней, ее стройные ноги свешиваются на ковер, на котором стоит на коленях одетый мужчина. Он целует по очереди все пальцы на ее ногах. Потом поднимается. Анна, гостья, пронзительно кричит: «Что это?» И только после этого все узнают в мужчине ее мужа Вячеслава, который сейчас стоит рядом с ней. Он смертельно бледен. Сеня Курочкин смотрит на всех с пьяным недоумением:

— Вы чего? Вам не смешно?

— Пошли все вон! — кричит Петр, выключая компьютер.

— Ты что! — Сеня пытается вытащить диск. — Я купил в одном месте видеокамеры. Дорого! Я думал, у вас есть чувство юмора... Отдай!

Петр отталкивает его с такой силой, что он летит к стене. А Князев в два огромных прыжка оказывается у порога, где стоит Иван. Он, ничего больше не видя, бьет и бьет парня кулаком по лицу, превращая его в кровавое месиво. Ирина Викторовна и гость, которого не было в кадре, — Антон — пытаются его оттащить. В это время раздается женский вопль, все оглядываются. Вера, держась за живот, сползает на пол. Глаза у нее закатились. Петр поворачивается на крик.

— Пошли все вон, — тихо и тупо повторяет он.

И все исчезают, кроме Ирины Викторовны. Петр поднимает окровавленными руками жену, тащит ее в спальню.

— Звони в «Скорую», — говорит он матери. — Эта... может скинуть моего ребенка. А может, и не моего...

ЧАСТЬ ВТОРАЯ

Глава 1

Коля Кузнецов спал в эту ночь глубоко и сладко. Ему снились разные люди — знакомые и совсем чужие, к нему наконец опять пришла мама. Она его, конечно, ругала за что-то, и от этого ему было тепло, уютно, беззаботно. Он и во сне понимал, что спит, знал, что проснется, и не хотел этого... Он в эту ночь пил маленькими глотками счастье временного сна под крышей родного дома, потому что следующей ночи у него могло и не быть. Он открыл глаза и оказался один в тревожном рассвете. Подумал о себе без жалости, отстраненно: все, что можно пожелать человеку в такой ситуации, известно: «если смерти, то мгновенной»... Через какое-то количество часов произойдет непонятно что, он станет неизвестно кем, если будет жив, — сюда вернется только затем, чтобы забрать чужие два миллиона и попытаться уцелеть. Где-то, как-то. Собственно, что значит попытаться... От него вообще ничего не зависит. Он сделал все, что мог: втянул в безумный бред вполне вроде бы вменяемых людей, которые могут загреметь вместе с ним под фанфары... Ради чего? То ли Дульсинея, то ли деньги... То ли деньги за Дульсинею... За ее смерть. Коля остро ощутил запах теплой кожи Марины, легкое прикосновение ее пушистых волос, блеск солнечных зайчиков в ее чудесных глазах... Они вообще-то мало знакомы, а на чувственном и эмоциональном уровне она ему сейчас ближе всех. Точнее, только она и близка. Так получилось, потому что они на краю. Вот сейчас он соберется с духом, отодвинет ее — живую, ясную, ничего не понимающую — как можно дальше, на самый край шахматной доски. Там ее место шахматной королевы, деревянной фигурки, которую можно выбить из жизни одним щелчком.

Коля встал, не смог выпить кофе, хотел вылить в раковину, но передумал. Поставил чашку на стол. Если вернется — выпьет. Полежал в очень горячей воде, глядя на свое большое бестолковое тело. Нормальные люди моются, чтобы жить, работать и любить. И отжиматься в тренажерном зале, и копить деньги, и строить дом, растить сына, сажать дерево... Коля не обнаружил в себе ни симпатии, ни зависти к нормальным людям, да это и не важно — ни ему, ни им...

Он в халате вошел в кабинет, взял телефон, набрал номер Константина.

— Сегодня вечером, — сказал он коротко. — Завтра позвоню с другого телефона. Аванс сейчас. Я буду дома еще полтора часа. Когда опознаете — деньги жду в течение часа. Если их не будет, иду с повинной. Сейчас в тюрьме хорошо кормят. Тебе тоже понравится, Костик. Пока.

Он начал открывать телефон, чтобы достать симку, потом вспомнил, закрыл опять, сделал еще один звонок.

— Привет, Егор. Я уеду на какое-то время. Позвоню с другого телефона. Так надо.

— Привет, — выдохнул мальчик. — От ментов прячешься? Из-за того, что тетю тогда забрал? Прикольно. Я Грэя опять поведу, чтоб он им там нассал.

— Не вздумай. Не светись. Веди себя нормально. Как будто ты ни при чем.

— Да! — зашелся в восторге пацан. — Я скажу, что тебя не знаю!

— Думаю, тебя не спросят. Пока.

Коля вынул сим-карту, аккуратно порезал ножницами на меленькие кусочки, спустил их в унитаз. Телефон разобрал, разломал, положил обломки в пакет с мусором. Минут сорок сидел за ноутбуком, уничтожая память. Посмотрел без сожаления на ставший пустым глаз монитора и сказал: «Дубина». Посмотрел на три новых телефона, номера которых еще даже не пытался запомнить. Неизвестно, сколько раз придется ими воспользоваться и придется ли вообще. «Обезличенный контракт с оператором» — такой изыск доступен только Николаеву, который оказался не только страшным и ужасным держателем компромата. Бывший командир, которого Коля всегда считал неглупым «сапогом», считает себя большим постановщиком помпезных шоу. «Будет смешно, — подумал Коля, — если он окажется режиссером погорелого театра. Мы все перед смертью нахохочемся». В это время один из «обезличенных» телефонов зазвонил.

— Ты готов? — спросил Николаев.

— Конечно.

— Встречаешь ее в переулке у дома. Идете к метро. Метрах в ста у газетного киоска ловишь такси. Садитесь вдвоем на заднее сиденье. Когда выедете на Ленинский, водитель подберет двоих человек. Один сядет с ее стороны. Потом водителю придется резко тормознуть... Она не почувствует укола. Уснет быстро.

— А если ей все-таки сказать?

— Слушай, не идиотничай, а? Прикинь, сколько народу одна баба может пустить под откос, чтобы самой лечь в могилу. Давай без самодеятельности.

— Слушаю, мой генерал.

Коля сидел, размышлял, пока ему не показалось, что хлопнула входная дверь. Он вышел в прихожую. Там стояла чужая дорожная сумка. Он расстегнул молнию: аккуратные упаковки денежных купюр. Пересчитывать не стал. Костик сейчас не ошибется. Пятьсот тысяч евро. И наверняка настоящие. После убийства Марины ему должны еще полтора миллиона. Интересно, как его лакеи дверь открыли... Отмычкой или уже есть дубликат ключа? Не важно. Коля забросил сумку в шкаф для обуви.

Он побрился и оделся уже на автомате. Думать больше смысла не было. Все три телефона аккуратно разместил в карманах тонкой кожаной куртки. «По коням», — сказал он себе и, проходя мимо портрета мамы, отвел глаза. Если вернется... Если вернется, он ей скажет, как всегда: «А ты все говорила, что джакузи — моя самая большая глупость».

Глава 2

Первой во двор института приехала Ольга Волкова. Вышла из машины и направилась, не оглядываясь, к входу. Алексей въехал следом, не торопясь, покурил минуты три, к институту направился, когда за Ольгой закрылась дверь. Они ночуют с тех пор вместе. Ночи похожи, дни тоже. И то и другое — тягостное, тошнотворное ожидание. Тупой страх, и больше ничего. Странно, что они еще не возненавидели друг друга. В кабинет Алексей вошел с твердым решением: после работы он едет к себе. Надо как-то восстанавливаться, спасать свою жизнь... И дать возможность Ольге спасать свою.

Ольга сидела за своим столом, испытывая страшную усталость. Раньше она такой не была даже после тяжелого рабочего дня. В институте, конечно, все уже знают, что они с Алексеем приезжают вместе. Ольге даже неинтересно, что по этому поводу говорят. Алексей больше никого не приглашает к себе. Виктория, как сообщил ее отец, отдыхает с другом в Турции... Все похоже на бред сумасшедшего, но это понимают только они с Алексеем, для остальных — все нормально.

— Привет, — в кабинет вползает Зина. — Попьем кофейку?

— Включи, — кивает Ольга. — Вставать неохота.

— Устаешь? — Зина смотрит на нее острым любопытным взглядом: полцарства за подробности.

Ольга скрывает раздражение и спокойно говорит:

— У меня радикулит.

— О! — Зина сыплет кофе мимо кофеварки.

— Я имею в виду свой наследственный радикулит, — сухо говорит Ольга. — Ты, кажется, настроилась на «Камасутру».

— Ты чего злишься? — удивляется Зина. — Ну, выпей баралгин, прилепи перцовый пластырь на поясницу. — Она какое-то время сосредоточенно ждет, пока заварится кофе, разливает по чашкам, ставит их на стол Ольги, садится напротив. — Если честно, у нас уже все голову сломали: то ли ты, говорят, фригидная, то ли он — импотент. На сычей похожи, а не на любовников.

— Ты всем скажи: так оно и есть. Пусть поберегут свои надломленные головы. Работать чем-то надо.

— Да... Скажу, если просишь. Ждем, когда Вика приедет. Интересно, что она расскажет. Какой он импотент. Оль, а кроме шуток, он тебе рассказывал, как она от него к кому-то другому перескочила?

— Виктория не была у Алексея, — ровно ответила Ольга. — Он позвонил ей и пригласил в шутку. Она в шутку согласилась. Потом поехала к своему другу. Алексей в это время был уже у меня.

— Он так тебе сказал? И ты в это веришь?

— Как я могу ему не верить, если он был у меня!

— Во сколько он к тебе приехал?

— Ты совсем рехнулась? С какой стати я должна перед тобой отчитываться?

— А с такой стати, что перепихнуться времени много не нужно. Вика говорила, что с ней никто не бывает импотентом.

— Зина, ты допила? Иди работай. Напомню тебе, что я — третий день заместитель директора института. Ты пока — заместитель несуществующего заведующего отделом. Тебе нужно готовиться к тому, чтобы новый заведующий согласился оставить тебя заместителем.

— То есть... Ты хочешь сказать...

— Да. Заведующей ты не будешь. Не дотягиваешь. Мы выходим на новый уровень, это, надеюсь, всем понятно.

— Всем все понятно. — Зина резко поднимается и направляется к выходу, не допив свой кофе. У порога оборачивается, смотрит почти с ненавистью. — Всем понятно, что ты впилась в этого несчастного, чтобы все подгрести под себя. Как только он появился, — все стало про тебя ясно. Приклей его пластырем к своему радикулиту, — почти кричит Зина и хлопает дверью.

Ольга сидит, глядя перед собой пустыми глазами. И внутри у нее темно и пусто. Может, их всех уволить? Но когда начнется следствие, их все равно найдут, чтобы взять показания... Что наговорят озлобленные бабы? «Следствие может никогда не начаться, — веско говорит она самой себе. — Так бывает. Бывают ведь без вести пропавшие. И что лучше: увольнять — не увольнять? Лучше пока ничего не менять. Но как это все терпеть, когда нет сил терпеть...»

В течение дня они с Алексеем говорили только по внутреннему телефону и только по работе. Каждый из них, затаившись, сидел в своем кабинете, когда по коридору застучали каблучки уходящих сотрудниц. Никто из них не заглянул к Ольге попрощаться. Зина сделала свое дело. Алексей вошел к Ольге, когда институт опустел, устало сел на диван.

— Что ты думаешь об этой истории с Турцией? — спросил он.

— А ты?

— Я, похоже, схожу с ума. Мне кажется, что Виктория в Турции, что она скоро приедет, а то была не она...

Ольга смотрит на него с ужасом. А если действительно... Но костюм, который был в тот день на Виктории, ее духи... Что это означает в таком случае... Она собирает свои вещи, они молча идут к выходу. Она говорит:

— Поехали на твоей машине. Мою оставим. У меня болит спина. Все уже в курсе, так что...

— Это хорошо, что в курсе, — отвечает он.

В машине мозг Ольги плавится от бесчисленного множества самых невероятных предположений. Она смотрит на Алексея украдкой, подозрительно. Она не знает, есть ли у него пистолет. Она не может знать, была ли у него в тот день Виктория. Возможно, была. И они вдвоем убили какую-то женщину, надели на нее костюм Князевой, чтобы сбить с толку именно ее, Ольгу, к которой он и приехал сразу за алиби. А Вика умчалась куда-то. Раз сказала, что в Турцию, значит, в другое место...

В квартире Ольга неподвижно стояла в кухне, пока туда не вошел Алексей.

— Скажи мне правду, — сказала она, — ты знал Викторию до того, как пришел в наш институт?

— Да, — с трудом произнес он. — Мы познакомились в одном клубе, месяцев пять назад... Это длилось несколько дней... Потом она ушла от меня с другим в том же клубе. Встретились мы уже в институте.

— То есть из клуба вы поехали в твой дом? Ты, кажется, говорил, что не давал ей адреса...

— Да, она там была. Тогда...

— Значит, ты солгал. Или скрыл самое важное, что опять значит — солгал. Вовлекая меня в такую историю, ты врал! Я не верю тебе теперь ни в чем, понимаешь? Ты мог убить ее. Вы с ней вдвоем могли убить другую женщину и запутать меня, пока она смывалась. У тебя есть пистолет?

— Был. Той ночью, когда ты мыла террасу, я его искал и не обнаружил на месте...

— И об этом мне тоже не сказал...

Они смотрели друг на друга. Их взгляды сливались и плавились. Они боялись друг друга.

Глава 3

Петр сидел в коридоре клиники, сжав руки на коленях. Он не знал, сколько часов здесь сидит, ночь сейчас или уже день. Пару раз к нему выходили то врач, то медсестра, говорили пустые слова: «Все под контролем», «Мы делаем все возможное»... Он даже не переспрашивал, о чем речь — о спасении ребенка или о жизни Веры. Потом вспомнил какой-то фильм, в котором мужа ставили перед выбором: кого спасать — младенца или мать. Муж вроде сказал, что ребенка. А может, жену... Или жену хотел спасти муж из другого фильма. Если бы у Петра спросили... Он бы точно сказал: спасать ребенка. От смерти и от такой матери. Но у него не спросят, потому что срок слишком маленький. Шесть с небольшим месяцев. Таких, наверное, не спасают. А ему так жалко вдруг стало это крошечное существо, попавшее в такой переплет еще до рождения. Сама Вера, наверное, не знает, чей у нее ребенок. Петру уже все равно. Он хочет, чтобы дитя выжило назло взрослым подонкам, предателям, развратникам и придуркам...

— Мне очень жаль, — раздался рядом голос врача. — Преждевременные роды... Ребенка не удалось спасти.

— Вы коновалы!.. — закричал Петр и не смог сдержать рыданий. — Да как же вы все... Чем вы тут занимаетесь...

— Мне очень жаль, — повторил врач. — Вы можете войти к жене.

— Да на хрена она мне сдалась. — Петр бросил на пол мокрый от слез платок, а слезы все лились, он вытирал их рукавом пиджака.

— Зачем вы так. Нужно взять себя в руки.

— Я пришлю к ней водителя. — Петр почти бился в истерике. — Он возьмет ее в руки. Доктор, покажите мне ребенка... Я хочу его забрать. Мне нужно его похоронить.

— Давайте так. Вам его покажут. И вы поедете домой. Завтра займетесь похоронами. Здесь вам все расскажут, оформят. Я прощаюсь. Мои соболезнования. Сейчас за вами выйдет сестра.

...Что-то случилось со всей его жизнью, когда он смотрел на крошечного, сморщенного человечка... ручки, ножки, пальчики... Может, его бедная душа сейчас горько плачет, по-детски упрекает: «Что ж ты, такой здоровый, сильный, меня не спас, не уберег...» И показалось Петру, что нет у него никого роднее, чем этот навсегда уснувший птенчик. Он не хотел думать даже о своей красавице дочери, даже о матери... О том, что делать с Верой, вообще не знал. «Ты мой сын», — шепнул Петр, прощаясь.

Ему сказали, когда приехать утром, чтобы все оформить для похорон. Он как-то оказался дома. В пустой квартире, которая враз стала чужой. Неизвестно, сколько мужиков через нее прошло. Петр умылся, вошел в спальню, но тут ему стало совсем тошно. Переночует в комнате Вики. Он включил боковой свет в большой, роскошно и вычурно обставленной комнате — с альковами, драпировками, множеством зеркал. Домработнице Нине требовалось несколько часов, чтобы ее убрать. Вика любит светлые ковры, яркие пледы, мебель цвета слоновой кости с инкрустацией, хрустальные светильники... Он подошел к ее широкой уютной кровати, постоял, вспомнил, конечно, видео Курочкина. Нет, это не изменило его отношения к дочери. Он ее любит по-прежнему. Она — свободная женщина, делает то, что считает нужным. Какие могут быть претензии? Просто неприятно узнавать такие подробности: туповатый водитель Иван, нудный клерк Слава, который ходит в их дом с женой... Но это ее дела, ее причуды. Петр привычно перечислил про себя аргументы в пользу дочери. Она рано потеряла мать, это не могло не сказаться на ее психике. Ей не хватало тепла. Он никогда не умел не только показать ей свою любовь, но даже встать на один с ней уровень. Так повелось, что она казалась ему существом высшего порядка. Она необыкновенная, не такая, как другие молодые женщины. Работает по профессии в скромном НИИ, тяжело работает, хотя могла бы спокойно жить у него на содержании, потом на содержании мужа. Да, он ей отец, а не судья... Только на эту кровать он точно не ляжет. Петр оглянулся, нашел взглядом скромный и темный диван в углу, направился к стенному шкафу за подушкой и одеялом. Он долго стоял перед множеством полок, решая, нужно ли ему постельное белье. Нет, конечно, не нужно. Его знобит. Он закутается в это большое пышное одеяло и будет ждать утра, думая о своем маленьком умершем сыне.

Взгляд вдруг упал на резную шкатулку, которую он подарил Виктории. Обычная красивая шкатулка для украшений. Но если нажать на потайную кнопочку на дне, внутренние стенки разъедутся, и откроется отделение для ключей. Он купил ее, чтобы Вика там держала ключи от сейфа, тайника за зеркалом. Ну, должна же она где-то хранить деньги, которые он ей давал (зарплата и в кошельке помещалась), личные вещи, фотографии, к примеру. Автоматически открыл шкатулку, посмотрел на несколько ниток жемчуга, колье, серьги, кольца — немного, в основном то, что он или бабушка дарили ей на дни рождения, праздники. Потом нажал кнопочку: ключи были на месте. Петр достал их, подержал на ладони. Он сам покупал сейф для дочери, устанавливал тайник в ее комнате, знал, как их открывать (только они с Викой и знали), но дочка с детства была уверена: папа никогда без спросу не полезет в ее личные вещи. Но сейчас, когда в их жизни что-то надломилось, а в их домашнее тепло вторглись чужие люди, когда Петру было так лихо и одиноко, ему захотелось найти подтверждение дочерней любви. Хранит ли она где-то свои детские снимки, фото мамы, его, когда они были вместе... Он сам хранил или прятал от Веры старые альбомы, обручальное кольцо первой жены, даже школьные тетрадки Вики.

Петр подошел к сейфу дочери и открыл его. Минут через пятнадцать он открыл тайник. Потом сел на пол рядом с содержимым того и другого. Он не нашел того, что ожидал увидеть. А нашел совсем другое. Очень крупные суммы денег, в основном — в валюте. Настоящие, очень дорогие, запредельно дорогие украшения. И профессиональные портфолио. Виктория в незнакомых вечерних туалетах, купальниках, эротическом нижнем белье, просто обнаженная. Эффектная, ярко накрашенная, вызывающе-сексапильная, высокомерная, цинично имитирующая страсть... Петр положил все на место, запер, спрятал ключи, вышел в гостиную. Там достал из бара бутылку виски и залпом выпил стакан. После этого голова стала менее тяжелой и тупой. Что он только что видел? Тайную жизнь богатой содержанки. Скорее всего, не одного человека. Или одного, которого нельзя афишировать. И вовсе не будущего мужа. А хоть бы и так? Что из этого вытекает? Что это меняет? Ну, вытекает и меняет, вдруг остро подумал Петр. Его дочь продается за деньги, бриллианты, а страсть утоляет с кем попало... С лакеем. Вот что вытекает. Он не осуждает ее, но ему это противно. Он вернулся в ее комнату, подошел к дивану, побросал одежду на пол, закутался с головой в одеяло. Судьба его обворовала в эту ночь. Он стал бездетным бобылем, никому не нужным. И ему никто не нужен, кроме малыша, которого завтра он поедет хоронить. Во сне он опять плакал.

Глава 4

После звонка Николая Константин позвонил Стасу, велел доставить аванс Кузнецову, нервно заходил по квартире. Парень решил играть на опережение. Он дал ему неделю, она еще не прошла... Дело не в этом, план в принципе намечен. Просто этот чувак ему угрожает. Этот полутруп по сути. А угроза реальная. Сдать его, Костю, полиции, если вся сумма не появится в квартире Кузнецова в течение получаса после опознания. Сумма появится. Вопрос — на какой срок. После опознания должны завести дело. Он, Константин, даст свидетельские показания о том, что маньяк преследовал Марину, приходил за ней в офис. Его доверенные люди — Стас и Никита — вспомнят, что видели: один — как этот маньяк провожал Марину, другой — как тот же человек заходил в свой, возможно, дом. То есть адрес дадут на блюдечке. И за ним поедут, как за подозреваемым... И обнаружат в квартире его труп на фоне следов ограбления. Грабители и убийцы оставят следы, потеряют пару купюр... Найдут их или не найдут — это уже проблемы следователя. Того, с которым благополучно довели до архива дело Леонтьева. Главное, что вопрос с убийцей Марины будет закрыт. Но на это все нужно какое-то время. А Коля будет сидеть с двумя миллионами. Или попытается слинять. Если его грохнут до начала следствия и свидетельских показаний, все станет ясно даже самому тупому менту. И черт бы с ним, с тупым ментом, есть на него рычаги воздействия, но когда-то кто-то может это связать с несчастным случаем с Леонтьевым, с получением заказа... Сейчас водятся такие умельцы по части компромата, который и полезет со всех сторон, когда Костя выведет дело на другой уровень. Нет, горячку пороть нельзя. Злить этого типа тоже не стоит. Есть в нем что-то ненормальное, пофигист, одним словом. Придется пасти его по-настоящему. Если у Кузнецова вообще-то сегодня получится. Он, Костя, в этом сомневается. Убить — и профессионалу непросто. А этот... Убить... Костя вдруг ясно увидел Марину, почувствовал ее тепло, нежное, упругое тело, запах... А если дать отбой? Еще не поздно дать отбой! Он, наверное, сглупил, когда взял ее на подписание сделки, познакомил с заказчиком. А сейчас она написала заявление об уходе, после того, что произошло между ними в его кабинете... Никакого отбоя! Он вызвал в памяти ее лицо, взгляд, полный ненависти, презрения, отвращения... Она подписала себе смертный приговор. Все, вопрос решен.

Константин быстро вышел из квартиры, поехал на работу. Сразу позвонил Стасу, который доложил, что аванс доставлен. Костя велел быть на связи, ждать сигнала. Больше никого он в это дело посвящать не стал. Исполнители второго убийства у них есть, это просто бандиты, он не хочет знать кто.

Рабочий день начался. Зазвучали голоса, звонили телефоны. Константин стоял у окна. Марина не появлялась. Обычно она не опаздывает. Но после того, что между ними произошло, позвонил вчера утром муж и сказал, что на нее напали хулиганы, она плохо себя чувствует, приедет на работу завтра. То есть сегодня. Полчаса рабочего времени уже прошло. Константин почувствовал, что ждать больше не может. Набрал ее домашний номер. Трубку поднял муж.

— Добрый день, Александр. Это Константин звонит. Марина дома?

— Да. Она собирается на работу, просто ребенок у нас простыл, мы ждем врача, Марина послушает, что он скажет, и сразу поедет.

— А можно ей трубочку дать?

— Конечно.

— Марина, — сказал Константин, — если тебе надо побыть и сегодня дома, то нет проблем.

— Нет, — резко ответила Марина. — Мне нужно побыстрее передать дела. Я приеду... Врач сейчас будет.

— Я хотел извиниться...

— Не поняла, о чем речь. Прошу прощения, в дверь звонят. — Она бросила трубку.

Константин задумался. Затем позвонил Стасу.

— Слушай. Марина задерживается. Сейчас она у себя дома. Думаю, вам надо подъехать к ней, проследить, чтоб точно доехала до работы. У нее с нервами что-то.

После этого он успокоился. Через пару часов максимум она появится здесь. И у него будет целый день для того, чтобы еще раз все продумать.

Через два часа Марина не появилась. Через три часа позвонил Стас. Он говорил с улицы, раздавался ужасный шум.

— Шеф, тут такое... Мы на Ленинском... В общем, она вышла, ее встретил наш киллер. Они пошли к метро, потом он остановил такси. Потом водила подобрал еще кого-то. Костя, они попали в страшное ДТП! Мы ехали за ними, успели на пешеходную дорожку вырулить. «КамАЗ» занесло на встречке. Я даже толком не понял. Влупилось несколько тачек. Мне кажется, пара — всмятку. Был такой взрыв! Тут ДПС, «Скорая», полиция... Слушай, кого-то в «Скорую» грузят... Мне не видно, из какой машины. Может, из их!

— Посмотри! Поезжай за «Скорой»! А Никита пусть остается на месте.

— Мы не можем! Мы зажаты, я ж тебе сказал. Они для «Скорой» коридор расчистили...

Связь оборвалась. Костя схватился за голову. Елки-палки! Он же связался с буйным сумасшедшим. Он сказал — вечером. Какого черта поперся утром? Кого там повезли? В каком состоянии? Что вообще за дела! Она всегда ездила на метро. «Спокойно, — сказал он себе. — Сейчас ДТП бывают по сто раз на дню. Она может приехать, как только пробка рассосется. Все выяснится». Он вздрогнул от телефонного звонка. Скрытый номер.

— Это Николай. Готово. Она в морге Первой градской. Документы при ней. Родственникам позвонят, наверное, сегодня. Я буду знать, когда опознание. Жду.

— Подожди. Но почему?.. А как?..

— Увидите.

Глава 5

Ольга больше не могла ждать. Нужно хотя бы что-то предпринять. Она уже не знала, что лучше: если Викторию начнут искать или если она каким-то образом просто исчезнет из их жизни.

Отец Князевой уверен, что дочь в Турции. Он может получить от нее или от людей, у которых есть ее телефон, сообщение, что она вышла замуж, к примеру, и вернется через год. Девушка она достаточно взбалмошная и самостоятельная, не исключено, что отец и год паниковать не будет... А Ольге придется в течение этого времени каждое утро просыпаться вместе с человеком, который, возможно, является убийцей. Им нельзя расстаться: они не верят друг другу.

Оля в середине дня нашла домашний телефон Князевой и позвонила по нему. Трубку взял отец.

— Добрый день, прошу прощения, я не знаю вашего имени-отчества, — сказала Оля. — Я Ольга Волкова, руководитель отдела, в котором работает Виктория.

— Можно — просто Петр. Я слушаю вас.

— Девочки сказали мне, что Вика отдыхает в Турции. А у нас тут как раз перестановки. Меня назначили заместителем директора, готовятся другие передвижения... Хотелось бы точно знать, когда Вика планирует вернуться?

— Боюсь, не могу сказать ничего определенного. Насчет Турции она сначала написала, что летит на две недели, но сегодня позвонила и сказала, что может задержаться.

— Она... сама вам позвонила?

— Да.

— Что-нибудь еще говорила? О работе, например?

— Понимаете, я не мог разговаривать. Я хоронил сына.

— Что случилось? У вас умер ребенок?

— Да. Он родился шестимесячным и сразу умер.

— Боже! Мне очень жаль. Могу вам чем-то помочь?

— А как и чем мне можно помочь? — горько ответил Петр. — Малыша уже нет, моя взрослая дочь в это время отдыхает. Каждому — свое, как говорится.

— Да, тяжело, конечно... Но Виктория не знала... Извините, что позвонила в такой день. Если у вас определился телефон, если что-то понадобится, звоните, пожалуйста. Еще раз соболезную.

— Определился. Спасибо. До свидания.

Ольга долго сидела, тупо глядя перед собой. Кошмар продолжается, усугубляется. Виктория позвонила отцу! Возможно ли такое, что позвонил кто-то другой, а родной отец не понял, что это не дочь говорит? В таком состоянии он мог обознаться, конечно. Но что это вообще значит? Убийца попросил какую-то женщину позвонить? Убийц несколько и среди них — женщина? Убийца — женщина? Или звонила Виктория, а с террасы Алексея они вывезли не ее труп? И в таком случае убийца — Вика? Или она с Алексеем?

Нет, это невыносимо, Олин мозг с ситуацией не справляется. Если Алексей к преступлению причастен — а ведь он признался в том, что женщина на его террасе, скорее всего, убита из его пистолета, а оружие исчезло, — то... То Оля не собирается доживать свою жизнь в роли его вечного алиби. Но она не пойдет на него доносить в полицию, разумеется. И дело не только в том, что она — соучастница в сокрытии. Просто, если он невиновен, запущенную машину будет невозможно остановить. К концу дня Оля вспомнила одну историю с бывшей однокурсницей и позвонила ей. Однокурсницу звали Марией, попросту Маней, но после того, как она вышла замуж за олигарха, имя ее стало Моника, даже по паспорту. И она строго следила, чтобы окружающие об этом не забывали.

— Привет, Моника, — сказала Оля, чувствуя, что ее язык по-прежнему не хочет произносить имя, которое Мане совершенно не идет. — Вот решила тебе позвонить. Как дела?

— Ничего, — уныло ответила Моника. — Скучно. А тебе?

— И мне. Но я тут недавно открыла прелестную кофейню. Ничего подобного нет нигде в Москве. Самые элитные сорта Бразилии, крошечными партиями, их мастера, кондитеры... Тихо, уютно. Хочешь, заеду за тобой?

— Ты угощаешь, что ли? — Маня всегда была страшно скупой, а став богатой Моникой, вообще на этом свихнулась.

— Конечно! У меня повышение.

— На пятьсот рублей? — Моника хихикнула. Ее домработница получала больше, чем Ольга. Скупость скупостью, а положение обязывает.

— На целую тыщу! — порадовала подругу Ольга. — Посидим нормально. Так я выезжаю через полчаса?

— Давай. Я в макияже.

Ольга быстро закончила дела, зашла в кабинет Алексея.

— Леша, я сегодня договорилась с подругой кофе попить. У нее какой-то интимный секрет, хочет мне поведать. Поэтому тебя не приглашаю. Ты поезжай домой один, ладно? Я недолго.

— А с чего это вдруг? Что за подруга? — Алексей смотрел испуганно и подозрительно.

— Обычная институтская подруга, — спокойно сказала Ольга. — Леша, мне не так уж хочется кофе и совсем не интересен ее секрет. Просто нужно, чтобы мы оба немного расслабились. Мы живем так, как будто нас друг к другу приковали. Это заметно, это странно, как ты не понимаешь. Нам обоим необходимо вести себя немного свободнее. Вот почему я встречусь с Моникой, а ты тоже можешь куда-нибудь съездить.

— Я никуда не хочу. — Он немного успокоился, но напряженность осталась. — Я поеду домой. Пожалуйста, не задерживайся.

Ольга кивнула, вышла, по коридору старалась идти уверенно, не спеша, улыбаясь сотрудникам. Плевать, что они как-то не так на нее смотрят, шепчутся за спиной. Может, ей все это кажется. А если не кажется, тем более им с Алексеем нужно менять поведение. Они сами притягивают к себе нездоровое любопытство.

Моника вышла к ее машине в лиловом коротком платье с декольте, в черных колготках в пупырышках и в туфлях на платформе и очень высокой шпильке. Ольга вздохнула. Все равно придется сказать ей, что она хорошо выглядит. Иначе Моника начнет упрекать ее в зависти.

— Прекрасно выглядишь, — сказала Ольга, когда бывшая Маша уселась рядом.

Моника пытливо взглянула на нее, чтобы убедиться в искренности. Макияж, мягко говоря, был в порядке. Толстый слой и помада особой стойкости, яркости и жирности. Дело в том, что у Моники была проблема: требовалась регулярная эпиляция подбородка. Это все тщательно замазывалось, помада привлекала внимание к губам, отвлекая от подбородка. Оля по-женски понимала, насколько это серьезная забота. Она улыбнулась и нежно прижалась щекой к щеке Моники. Та успокоилась и затараторила сразу обо всем. У неработающих, богатых и бездетных женщин много мелких проблем. И столько же свободного времени, в течение которого их кто-то должен выслушивать. Ольга терпеливо поддерживала междометиями монолог Моники в машине и затем в действительно очень хорошей кофейне, где, кроме них, было всего несколько человек. Паузу для вопроса удалось найти не скоро.

— Моника, я хотела вот о чем у тебя спросить. Помнишь, ты рассказывала, как с помощью частного детектива поймала мужа с любовницей. Ну, какая-то у него сильно скрытая пассия была...

— Скрытая — это не то слово... Слушай, а тебе зачем? Ты что, замуж вышла? И он тебе изменяет?

— Пока не вышла. Знаешь, раз обожжешься... Я из тех, кто на воду дует. В общем, есть один человек. Не думаю, что он мне изменяет. Просто я мало знаю о нем. Хотелось бы узнать больше, чем он сам говорит. Например, о бывшей жене, о финансовом положении. Ты меня понимаешь?

— Да не то слово! Мужики — альфонсы через одного! Я тебе сейчас такую историю расскажу...

— Моника, подожди. Давай договорим про твоего частного детектива. Ты как его нашла? Тебе рекомендовали?

— Да его все знают! Мне телефон сыщика дал главный редактор «Богемы», я им разворот про себя заказывала. Наши тетки теперь этот номер из рукава в рукав передают. Рекламу ему делают, я боюсь, что мне в очереди придется стоять, если он вдруг понадобится. Классный парень, любого мужа берет прямо на б...и и потом еще и адвоката посоветует. Откупные по максимуму, при разводе вообще все жене отходит, как по маслу. Берет по-божески.

— Из любви к искусству?

— Нет, деньги нормальные, просто не дерет, как все прочие, — за минуту, за секунду, а потом — хоп, он уже на мужа работает.

— И берет жену на альфонсе... Циник.

— Серега — нет. Слушай, фигура у него, глаза...

— А это при чем?

— Для тебя, может, и ни при чем, а я не люблю иметь дело со всякими чмошниками, — гордо сказала Моника.

— Телефон дашь?

— Ой, даже не знаю. У нас вроде решили — только своим... И так он уже нам отказывает, клиентов до фигищи...

— То есть для тебя «свои» — это твоя нынешняя элита, не побоюсь этого слова?

— Только давай без оскорблений. Они тоже мои подруги. Ладно, пиши телефон. Можешь на меня сослаться.

— Спасибо, дорогая. Прекрасен наш союз...

Глава 6

Вечером Петрову позвонил муж Марины.

— Добрый вечер, Константин. — Голос у Александра был странный, он заикался. — У Марины не отвечает телефон, я поэтому вам звоню. Она ведь на работе? Тут недоразумение какое-то... Мне сообщили, что нужно опознать тело женщины... Тоже Марина Романова. Это ошибка? Однофамилица? Они могли перепутать?

— Александр... Не знаю, как сказать... То есть, может, и однофамилица. Только Марины сегодня не было на работе. Она не приехала.

Если она вам не позвонила до сих пор, боюсь, что-то действительно случилось.

— Но вы же не думаете, что она... Что это она?

— Нужно ехать, Александр. Вас на какое время пригласили?

— На утро. Десять часов.

— Если она не появится до этого времени... Я заеду за вами. Держитесь.

— Ничего не понимаю. Что произошло...

— Вам не сказали? Наверное, ДТП...

— Мне сказали, что она убита двумя выстрелами в затылок. Какой-то бред, да?

— Да. Держите меня в курсе. Утром позвоню, когда подъеду...

Константин какое-то время сидел, чувствуя одно: он не может разжать зубы. Что-то тут не так. Николай везет Марину в такси, по дороге таксист подсаживает еще пассажиров, они все попадают в ДТП, кого-то выносят, теперь ясно, что Марину, — но каким образом ее умудрились застрелить в такой ситуации? Почему Кузнецова не взяли на месте? Там же была полиция...

Он набрал номер Стаса.

— Стас, срочно звони своим осведомителям, узнавай насчет этого ДТП. Дело в том, что Романова убита выстрелами в затылок. В машине, как ты сказал, было полно людей. Почему их не взяли? Как оттуда выбрался Кузнецов? Слушай, рой носом землю. Ты был рядом. Ты ни хрена не понял. Завтра опознание и расчет с киллером. Если так и дальше пойдет, вы с Никитосом пойдете за ней, ты меня понял? Может, вы вообще вместе с Кузнецовым меня обуть решили на два ляма?

— Ты че говоришь, Костя? Я что, первый день на тебя работаю? Там на самом деле каша была. Ладно, отзвонюсь. Узнаю, что смогу.

Он перезвонил через сорок минут.

— В общем, так. Какой наряд был на месте, никто не знает. «Скорая» привезла тело, которое вытащили из пустой машины. В ней никого не оказалось. Там что-то взорвалось, все разбежались, они спешили, причину смерти определили уже в морге. Менты в больницу не поехали, остались на происшествии. Ну, из больницы, наверное, позвонили, как полагается. Не знаю.

— И как ты себе это представляешь? Вот вы были заперты, ты мне сказал? А как он ушел? И куда остальные из машины подевались?

— Не знаю. Может, он их пистолетом напугал?

— Такой гангстер оказался? А мы и не знали. Ты мне досье собрал на недоумка, который сорок лет под мамкиной юбкой просидел.

— Не, ну там было про горячую точку...

— Ты про такое убийство когда-нибудь слышал?

— Ну, всякое бывает...

— Всякое, значит. А в ГИБДД узнавал? Кто был на происшествии, есть ли протокол?

— Шеф, они тоже сказали, что не знают пока, кто был. Протокола нет. Только сообщение.

— И номеров машин нет? И что за «КамАЗ»? Ничего нет? Ты себя-то слышишь вообще?

— Костя, ну что ты себя заводишь... Сейчас не знают, потом узнают. Ну, бардак у нас, не знал?

— Про такой — не знал. Ладно. Давай. Занимайся завтрашней операцией. Если будет как сегодня... Не дай тебе бог...

Константин попытался собрать всю свою логику и спокойствие. Вообще-то информация на самом деле могла еще не поступить. Сейчас с этим никто никуда не торопится. Она может вообще не поступить, поскольку никому не нужна. Шум, гам, тарарам, «Скорая» схватила единственную жертву, констатировали смерть, разглядывать не стали, ведь был взрыв... Людям из такси, включая водителя, разбежаться в такой свалке нетрудно. Они все могли выскочить раньше Николая и Марины, после чего он ее и убил. Почему в затылок? Возможно, она сидела на переднем сиденье. Или повернулась к нему спиной, чтобы вылезти, а он... Да, оказался ловким парнем. Затем и повез ее в такси, что был такой план. А ДТП ему помогло. Завтра все станет окончательно ясно, хотя и сейчас сомнений практически нет. Николай знает, что опознать должен муж. А наводить справки о деталях им больше нельзя. Понятно, что по такому ДТП соберут данные, найдут действующих лиц, скорее всего, они далеко и не уходили. Но им больше незачем привлекать к себе внимание. За деньги и Стас расскажет, кому нужна информация. Кругом враги, об этом нельзя забывать.

Константин открыл сейф, в котором стояла закрытая сумка с деньгами. С большими деньгами. Остаток. Полтора миллиона евро. Такса профессионала за серьезное убийство конкурента, политика, чиновника... Он назвал эту сумму дилетанту, который взялся убить всего лишь незаметного бухгалтера. Ради безопасности Костиного дела, но это другой вопрос. Почему он решил назвать ему эту сумму? Кроме трехсот тысяч рублей на подготовку, аванса в пятьсот тысяч евро. Потому что с самого начала было ясно, что парень с очень большими понтами. И он уже был в курсе. К тому же деньги ему просто дадут, чтоб посмотрел на них перед смертью. Вопрос, как его кинуть, Костя решал, разумеется. И что мы имеем. Все это шоу с выстрелами в голову среди бела дня, на глазах у всех — это акт устрашения, не иначе. Киллер объявил ему ультиматум, он показал, на что способен. А если он нашел сообщников, к примеру, договорился с водителем «КамАЗа», таксистом — дело и вовсе усложняется.

Мысли Константина лихорадочно заметались. Этот Николай может стать более серьезной проблемой, чем Марина. Есть один вариант... свой человек в Следственном комитете. Если в момент нападения на Кузнецова с целью ограбления рядом окажется наряд, то вместе с убитым Николаем могут лечь грабители, застреленные при попытке вооруженного сопротивления. При них будет пакет, скажем, с двадцатью тысячами евро — это нормальная сумма для безработного сына богатой матери, — а гонорар из сумки точно положит конец всей истории. Дело на следующий день пойдет в архив. Константин понял, что решение найдено. Он нашел в контактах своего телефона «звучную» фамилию — Иванов, позвонил.

— Добрый вечер. Это Петров из финансовой корпорации «Просвет». Если помните, мы как-то сотрудничали, вы предложили обращаться, если что... У меня неплохое предложение.

— Да, помню, — ответил невыразительный голос. — Я на месте. Можете сейчас подъехать.

Глава 7

Утром Ольга сказала Алексею, что поездит пару часов по книжным магазинам. Надо купить многое для работы и кое-что для души.

— Закажи по Интернету, — посоветовал Алексей.

— Да нет, дело именно в магазинах. Хочется самой порыться в книжных новинках и, может быть, отыскать шедевр. Мечтать весь день о том, как ляжешь вечером с этим шедевром в постель... Блаженство.

— Ты случайно не хочешь меня обидеть? Что за акцент на слове «постель»...

— Я уверена в том, что ты не дебил, а просто симулируешь, — широко улыбнулась Оля. — У нас, по-моему, все в порядке, по крайней мере, в постели. Настолько в порядке, что мне захотелось, чтоб было еще лучше. И хорошая книга ничему не помешает.

— А что не в порядке?

— Какого ответа ты ждешь, не понимаю?.. Например, вчера Виктория звонила отцу из Турции. Так он сказал.

Ольга какое-то время пристально смотрит в расширившиеся от ужаса глаза Алексея.

— Что ты об этом думаешь? — с трудом выговаривает он.

— Что это могла быть она, и тогда мы вывезли с твоей террасы другую женщину в ее костюме. Или не она. Отец, не предполагая ничего страшного, мог и не понять, что это голос другой женщины. У него беда, он хоронил своего преждевременно родившегося ребенка. Алексей, возьми себя в руки. Нам остается только ждать. И жить нормальной человеческой жизнью. Поэтому я поехала рыться в книгах. Я совсем забыла о них в последнее время!

Они вышли вместе, сели по своим машинам, Ольга поехала в сторону центра. Она действительно зашла в один магазин, другой, третий. В этом третьем она и пришла к выводу, что поступила правильно. Она не может решить эту задачу сама, значит, нужно обратиться за помощью к профессионалу. Не к системе со страшным названием «органы», а к какому-нибудь Мегрэ, Пуаро, ну, может, мисс Марпл... Пока у нее есть один телефон, рекомендация Моники, и она этим воспользуется. Она нашла укромный уголок и набрала номер.

— Кольцов слушает. — Голос был очень приятным.

— Здравствуйте. Ваш телефон мне дала Моника Ступишина. Вы ей помогали с мужем, который... Вы помните ее?

— Конечно. Был рад познакомиться с ее супругом.

— Ну да. Я в курсе. Он, конечно, был еще больше рад. Вы не могли бы уделить мне немного времени?

— Когда?

— Если можно, сейчас. Извините, я не представилась: Ольга Волкова.

— Хорошо. Запомните адрес?

— Да. Говорите.

— У вас тоже семейное дело?

— Нет.

— Жду.

Ольга вернулась к полкам. Купила наконец книгу, по поводу которой давно облизывалась, — «Багровый лепесток и белый» Мишеля Файбера и понесла к машине это прекрасное приобретение, как ребенок долгожданный подарок. Она осторожно уложила пакет с драгоценной книгой рядом с собой в машине, покурила перед тем, как тронуться с места. Помечтала: вдруг ей сейчас еще раз повезет, подарят простую разгадку этой шарады, и все будут ни при чем... И вечером они с Алексеем поедут в его дом, растопят камин, выпьют вина. И она, укрывшись теплым пледом, уплывет в ту старую Англию, где, наверное, жила в прошлой жизни. Так пронзительно она все узнает... Она погасила сигарету, вернулась на землю, вздрогнула от прикосновения к холодной, скользкой, свернувшейся в клубок тайне, которая, похоже, надолго поселилась в ее душе. Чуда не будет точно. Какая-то женщина мертва, и она сама оставила ее тело на ночной дороге. И ничего обнадеживающего по этому поводу узнать нельзя. Можно узнать что-то совсем плохое. Но даже самое плохое лучше неизвестности, сомнений и подозрений. Впрочем, она, скорее всего, уйдет от частного сыщика ни с чем. Это же не мужа ловить с любовницей. А он — именно по этой части, как сказала Моника. Но попытка уже какое-то движение.

«Ну, конечно, — подумала она, увидев молодого человека, который любезно проводил ее к дивану у своего стола. — Кого еще могут передавать из рукава в рукав тетки из светского круга Моники. Голубоглазый высокий блондин. Этого достаточно. Любой результат им кажется восхитительным».

— Даже не знаю, с чего начать, — сказала она.

— Вы говорили, речь пойдет не о муже, значит, о других родственниках?

— Да.

— Тогда начните с того, что вы вообще ни при чем. Это неплохое начало.

Ольга внимательно на него посмотрела — издевается, что ли?

— Я абсолютно серьезен, — сказал Сергей Кольцов. — Вы можете просто изложить ситуацию, которая вас беспокоит, и мы решим, чем я смогу вам помочь. Или не смогу.

— Да, пожалуй, так. Я — заместитель директора научно-исследовательского института. Одна наша сотрудница уже несколько дней не является на работу, никого не предупредила, не звонит... Вы улыбаетесь, я понимаю, это звучит смешно. А меня что-то тревожит в данной ситуации. Дело в том, что она прислала своему отцу СМС, что внезапно улетела отдыхать с другом в Турцию. Вчера вроде звонила ему, но у него беда, он толком с ней не поговорил.

— В чем все же проблема?

— Проблема в том, что у нас женский коллектив. Виктория Князева — эффектная, коммуникабельная девушка. Кому-то она непременно должна была сообщить, как отдыхает, с кем... Она красива, очень любит фотографироваться, выкладывает снимки в социальных сетях. Я поискала вчера ее странички — знаю, где она зарегистрирована. Но там только старые фотографии. И посты до тринадцатого августа, то есть того дня, когда она последний раз была на работе.

— Понятно. Значит, Виктория Князева... Возраст?

— Двадцать восемь лет.

— Виктория Князева, двадцать восемь лет, прилетела в Турцию с другом из Москвы после тринадцатого–четырнадцатого августа. Когда отец получил СМС?

— Пятнадцатого августа.

— Она была на работе четырнадцатого?

— Нет.

— Я могу узнать, прилетела ли эта девушка в те дни в Турцию. Вас устроит такая помощь?

— Конечно. Сколько я вам должна?

— Я пока ничего не сделал. Скажу вам по факту... Ольга, прошу прощения, а отец Виктории Князевой в курсе, что вы пытаетесь ее найти?

— Нет, я же сказала, у него большие проблемы... Просто у нас в институте перестановка, я должна знать... Собственно, какая разница?

— Абсолютно никакой. Я позвоню вам, скорее всего, сегодня к вечеру. Ваш телефон определился.

— Спасибо. Буду ждать.

Ольга вышла от детектива с чувством необъяснимого облегчения, как будто сделала что-то полезное, и ощущением неловкости от того, что этот человек, конечно, понял: она чего-то недоговаривает. Но это ее дело. Чего не хочет, того недоговаривает. Она занялась делами, почти удивилась, когда к концу рабочего дня раздался звонок.

— Добрый вечер. Это Кольцов. Такая информация. Виктория Князева не прилетала в

Турцию четырнадцатого, пятнадцатого августа. Короче, она вообще туда не прилетала. Она прилетела шестнадцатого августа в Швейцарию. Нужны подробности?

— Да, хотелось бы... Когда мне приехать?

— Давайте завтра к вечеру. Позвоните предварительно.

Ольга опять застыла, как раньше. Мыслей нет, один стук в голове: «Что это, что это, что это?..»

Глава 8

Константин подъехал к дому, где жила Марина Романова, в половине десятого утра. Александр уже стоял у забора, страшно бледный, в темном офисном костюме, который висел на нем мешком. Любой, кто мельком взглянул бы на него, сразу бы понял: этот человек страшно испуган или попал в большую беду. Константин открыл ему дверцу, а когда он сел рядом, пожал руку, посмотрел скорбно и сурово: мы, мол, должны пройти через это. До места они ехали молча, не глядя друг на друга. Александр позвонил из машины, их встретил высокий худой человек в медицинском халате, быстро и внимательно окинул взглядом, безошибочно протянул руку Александру.

— Эксперт Масленников. Вы готовы?

— Да, — сказал тот.

Им тоже выдали халаты, бахилы, все надели марлевые повязки. Александр ничего не чувствовал в холодном помещении, куда его привели, он даже как будто перестал понимать, зачем сюда пришел. Потом привезли каталку, на ней лежало тело, накрытое с головой. Масленников подвел их ближе.

— Должен предупредить: лицо очень повреждено. Скажете, когда закрыть.

Дальше... Все было как сильный удар, как ледяной смерч. Жизнь до и после. Александр боялся увидеть Марину, он ее и не увидел в этой безучастной, застывшей и страшной покойнице без лица... Он беспомощно отвернулся, готовый убежать из этого кошмара.

— Саша, — твердо сжал его локоть Константин, — нужно собраться. Посмотри внимательно.

Это подействовало. Александр увидел маленькое ухо, круглую родинку под ним, на безымянном пальце правой руки букву «А»...

— Это Марина, — хрипло сказал он. — Отпустите меня. Я больше не могу.

Они вышли, во дворе эксперт предложил:

— Александр, мне надо ехать как раз в ваши края, давайте я вас подброшу, немного с вами побуду. Вам врач сейчас не помешает. Поверьте мне. Ну, и что делать дальше, я вам объясню, помогу.

— Все, что касается похорон, — значительно сказал Константин, — я беру на себя. В смысле — наша фирма.

— Разумеется, — кивнул Масленников. — Но это будет решать следствие — когда хоронить.

— Со следствием тоже буду вести переговоры я, Александр не в том состоянии, у него ребенок...

— Конечно. — Масленников взял за локоть Романова и повел к своей машине.

Константин сел в свою. Он ехал, испытывая странное чувство. Сейчас, когда прелестной, притягательной и опасной для него Марины нет, он с умилением обнаружил в себе печаль. Да, это, конечно, она. Он тоже узнал родинку и эту букву. Это ее волосы, шея, уши, руки... Они ведь были почти близки... Если бы она повела себя по-другому в тот вечер, когда он позвал ее к себе, может, все бы обернулось иначе... Может, он бы ей поверил, а она бы его полюбила. «Вот что ты натворила, Марина», — мягко пожурил покойницу Константин и вздохнул не без облегчения.

Он приехал в офис, собрал коллектив и сообщил им грустную весть. Отдал распоряжение: подготовить большой портрет, цветы к нему, провести расходы на погребение и помощь семье. Все как с Леонтьевым.

Когда на его мобильнике определился скрытый номер, он дал знак — всем выйти из кабинета.

— Слушай, ты, — сразу перехватил он инициативу у Николая. — Какого черта ты придумываешь эти фокусы? Зачем ты поменял телефон? Ну, ладно, допустим, это правильно. Но почему ты мне не дал новый? И при этом еще ультиматумы ставишь — полтора часа, час, звоню в полицию... Как с тобой связываться?

— А в чем сложность, Костик? И зачем тебе мой телефон? Ну, я в одной книжке прочитал, что так надо. А час пойдет с той минуты, когда ты мне скажешь, что вы с вдовцом опознали Марину. Опознали?

— Да.

— Так время пошло. Я дома. Гонорар приму. Он мне нужен. Я еще телефонов накуплю. Я тебе каждый раз с другого звоню, использованный выбрасываю... Ну, как презервативы, прошу прощения.

— Идиот. Нашел время для шуток.

— Ты расстроился, Костя? Ты хотел Марину живой увидеть? Ты ж к ней неровно дышал, да? Ну, по крайней мере в тот вечер, когда я тебя застукал.

— Пошел ты... Жди. Сейчас тебе все принесут. И слушай внимательно. Ты никуда не выходишь! Это приказ. Сейчас начнется следствие. Я заинтересован, чтобы на тебя не вышли, понял? Хотя ты все сделал, чтоб засветиться. Ты действовал как буйнопомешанный.

— Я действительно тебе так дорог?

— Ты для меня — дерьмо на дороге. Ежу понятно, что ты меня сдашь за просто так. На всякий случай напомню, вроде уже говорил. Я найду тебя везде, язык вырву. Короче, не высовывайся, пока я буду разбираться со следствием, гасить и все такое. Потом — лети на все четыре стороны...

— Костя, поэтом можешь ты не быть, но гражданином быть обязан. Объясни мне как новичку, почему я уже сейчас не могу лететь на все четыре стороны.

— Да потому, что ты встречал ее каждый вечер! Потому что ты — первый подозреваемый, если рванешь, если тебя задержат с деньгами — значит, все, конец. А так, даже если кто-то о тебе следствию скажет, ты просто знакомый. Красивая девушка, поухаживал. Теперь ясно?

— Ага. Как на уроке арифметики. Какой ты умный. Когда ты все уладишь с этим делом, обращайся, ладно? Я под твоим руководством далеко пойду.

Константин бросил трубку. Через сорок минут Коля ему перезвонил.

— Все в порядке, Костя. Мне позвонила в дверь консьержка, сказала, что рабочие привезли кресло, которое я заказывал. Остроумно. Кресло только, по-моему, с помойки. В общем, я, конечно, еще не пересчитывал, но по объему нормально. Купюры точно не фальшивые? Проверять не нужно?

— Башку свою проверь, — прокричал в ярости Константин. — Деньги из банка. Заройся в них и сиди. Ты меня достал!

— Все понял. Я спать ложусь. Мне нужно отоспаться. Я слишком давно не работал. И очень давно не зарабатывал.

...Александр Васильевич налил чашку горячего кофе, поставил перед своим тезкой.

— Выпейте, Саша. А коньяка у вас нет?

— Есть. Вот там, на полке. Только я не буду. У меня и так мозги растекаются. И сердце где-то не там бьется. А мне надо маме позвонить. Сказать... Она ребенка увезла на дачу. С работы отпросилась. И, наверное, нужно звонить родителям Марины. Они в Нижнем Новгороде живут. Только я не могу.

Александр Васильевич подошел к нему, послушал пульс, потом достал из портфеля шприц и ампулу, сделал укол в вену.

— Сердце вернулось на место? — спросил он через некоторое время.

— Да, кажется...

— Хорошо. А теперь выпейте коньяку. Несколько глотков — в самый раз, увидите.

Александр глотнул, немного посидел, прислушиваясь к себе, потом перевел дыхание.

— Вроде лучше. Можно вас попросить? Побудьте со мной, пока я буду звонить. Мне страшно.

— Не нужно никому звонить, — спокойно сказал Масленников. — Ваша Марина жива. Вы видели совсем другую женщину. Букву «А» и родинку я нарисовал сегодня утром. Фломастером. Уже стер. Хоронить вы будете пустой гроб. Попросите в закрытом, так как лицо изуродовано. Пришлось пойти на это, чтобы спасти вашу жену. Она в безопасности. Надеюсь на ваше понимание и помощь. Если мы допустим ошибку, последствия будут непредсказуемы. Криминальная война.

Глава 9

Марина проснулась, вдохнула какой-то необычный воздух, в котором смешались сладкие, пряные и тонкие цитрусовые ароматы, похлопала ресницами: она точно проснулась? Абсолютно незнакомая комната, маленькая, с белыми стенами, воздушными шторами, которые волновались от нежного ветерка, она лежит на узкой чужой кровати, укрытая розовой махровой простыней, рядом тумбочка, на ней высокий стакан с водой, тарелка с фруктами. Марина приподнялась, простыня сползла: она совсем голая! И что это значит? С тех пор, как родился Артем, Марина всегда ложится спать в ночной рубашке... И всегда дома. Она глотнула воды и легла, пытаясь что-нибудь вспомнить. Ночью начал кашлять Артем, она вызвала врача, потом стала собираться на работу, чтобы закончить все дела и уйти навсегда из этой конторы... Потому что... Потому что эта скотина... Да, был этот ужас в его кабинете. Утром она вышла из дома и очень удивилась, увидев Николая. Он еще не встречал ее по утрам. Но он ее привез вечером, после того как забрал из кабинета Константина. Он предложил поехать на такси. Она согласилась, очень не хотелось толкаться в метро. Потом... Кто-то выскочил прямо на проезжую часть, стал голосовать. Два человека кричали таксисту, что опаздывают на важную встречу, им оказалось по пути, Коля согласился, чтобы они поехали с ними... Потом началось что-то невообразимое и... Наверное, она потеряла сознание. Может, она в больнице? Марина осмотрела себя: руки-ноги целы, голова не болит. Если это больница, то очень странная. Никого больше нет, и... душистый ветер... Как будто она в горах, на юге... Нет, наверное, она все-таки спит. Так бывает, когда все кажется совершенно реальным.

В дверь постучали. Марина не произнесла ни звука, просто смотрела. Дверь осторожно приоткрылась, вошел незнакомый человек в джинсах и черной майке, то есть явно не врач, — среднего роста, с узким и серьезным лицом, на котором выделялись желтые твердые губы.

— Разрешите? — спросил он.

— Вы меня спрашиваете? — удивилась Марина. — Я не знаю, где я.

— Скажем так: вы у меня в гостях. — Человек подошел к кровати и сел на стул в белом чехле.

— Кто вы такой?

— Меня зовут Андрей Николаев. Не знаю даже, как представиться... В общем, я руководитель одного охранного агентства в Москве, бывший боевой командир вашего знакомого Коли Кузнецова.

— Это он что-то придумал? Где я? Мы точно в Москве?

— Мы не в Москве. Мы в моем доме в Болгарии. Коля не то чтобы что-то придумал. Он попал в затруднительное положение. Понимаете, ему заказали ваше убийство. А он решил вас спасти. Вот такая забавная история.

— Какой-то бред, извините.

— Марина, давайте отложим подробный разговор на потом. Вы во всем разберетесь, вы многое услышите своими ушами. Например, переговоры вашего бывшего начальника Петрова с разными людьми, в том числе и с Кузнецовым, которого он нанял на роль разового киллера.

— Киллера?

— Да. Я принес диктофон, вот кассеты... Марина, вы скоро увидите даже собственные похороны. Спокойно. Ваш муж знает, что женщина, которую он опознал в морге, — не вы.

— Саша... опознал? — у Марины задрожал подбородок.

— Все это нужно принять, — жестко сказал Николаев. — Вы оказались свидетелем серьезного финансового преступления. Думаю, знаете, о чем речь. И если бы ваш Петров нанял кого-то другого, а не обалдуя Кузнецова, мы бы сейчас не разговаривали.

— Где Коля сейчас?

— Он в Москве. И пока здорово рискует. Поэтому мне нужно улететь прямо сегодня. Вставайте, одевайтесь, мы будем завтракать, и я отвечу на ваши вопросы.

Марина послушно поднялась, вспомнила, что она совсем раздета, натянула простыню и вопросительно посмотрела на Андрея.

— Вам помогала моя работница Даша, — объяснил он. — Она сейчас придет. Наверное, уже привела в порядок ваше платье. Потом вы купите то, что вам необходимо.

— Хорошо. А как же вы меня сюда привезли? Без документов, билета и даже без сознания?

— Зайцем, — улыбнулся Андрей. — На моем самолете. Вы тихо спали, как мраморная богиня для моего фонтана.

Он вышел, и в комнате появилась полная загорелая женщина. Она принесла синее платье Марины, явно постиранное и отглаженное, и белье.

— Доброе утро, — улыбнулась она. — Я Даша. Будем тут вместе жить. Потом я по твоим меркам поеду куплю другую одежду. Тебе появляться нигде нельзя, Андрей сказал?

— Я поняла. Очень приятно, Даша. Здесь красиво, уютно... — Она всхлипнула неожиданно для себя. — Все это какой-то ужас. Они меня еще и хоронить будут!

— Знаешь, — деловито сказала Даша. — Всех бы так хоронили. Мы будем на это смотреть и кофе с мороженым пить. Ты не переживай. Я знаю, там муж у тебя и ребенок и парень, которого убить хотят... Но Андрей все сделает как надо.

— Колю убить хотят? Ой, разовый киллер, я это сразу не поняла... Но...

— Знаешь, что я тебе скажу. Я за дверью слушала ваш разговор с Андреем. Если ты тут оказалась, не такой уж он обалдуй, этот Коля. Думаешь, так легко бандитов обмануть?

— Думаю, нелегко. А та женщина, которую будут хоронить, ее кто убил? Мне даже страшно подумать...

— Ты что! И не думай! Она уже трупом была. Тем более ее хоронить не будут. Андрей сказал, пустой гроб похоронят.

Глава 10

Медленно громыхал где-то лифт. У Ольги не хватило терпения ждать. Она побежала по лестнице на четвертый этаж, влетела в офис Кольцова, перевела дыхание.

— Здравствуйте. Что вы конкретно узнали? У вас случайно нет фото Виктории Князевой, что прилетела в Швейцарию? Это может быть однофамилица?

— Садитесь, пожалуйста. — Сергей смотрел на нее задумчиво. — Снимка у меня нет. К сожалению, агента в Швейцарии я не держу. — И добавил грустно: — У меня даже в Мытищах агента нет.

— При чем здесь Мытищи?

— Совершенно ни при чем. Просто ваш вопрос разбудил мои профессиональные комплексы. По документам эта Князева — не однофамилица, а именно искомая Князева. Сотрудница вашего института. Будем считать, что я выполнил ваше поручение?

— Нет! Можете считать это моей мнительностью, подозрительностью, да хоть сумасшествием, но теперь я еще сильнее сомневаюсь, что это Вика. Из Швейцарии она бы связывалась со всем Интернетом.

— Не очень убедительно. У любого человека могут быть обстоятельства, когда хочется или необходимо побыть вне Всемирной паутины. Кстати, она прилетела туда без друга. Он встретил ее в аэропорту Монтре и отвез в забронированный номер элитного отеля. Потом они переехали в Лозанну, где в данное время их нет. Как нет информации о том, что они покинули Швейцарию. Скорее всего, арендовали или купили шале в каком-то укромном уголке, без лишних глаз и соотечественников, о чем мечтают рано или поздно все русские туристы. Впрочем, фамилия у этого друга не русская. Скорее, греческая — Костаки. Димитрис Костаки.

— Ну что ж. Вы поработали очень хорошо. Когда Вика вернется, я ее удивлю своей осведомленностью. Готова с вами рассчитаться. Только... А если она не вернется?

— Но она запросто не вернется! По крайней мере в ближайшее время. Вы бы очень торопились в свой НИИ из такого путешествия?

— Это мне не грозит. Равно как и грек с красивой фамилией. И все же, если она не вернется в ближайшее время, не даст о себе знать, что нужно сделать, чтобы все узнать точно?

— Командировать меня в Швейцарию... Шутка. Ольга, если я правильно вас понимаю, вы хотите, чтобы я пытался получить дополнительную информацию. Давайте так и сделаем. Спешки у нас нет, Виктория может вернуться в любой момент, и вопрос решится сам собой. Ваше поручение я формально выполнил. Но теперь нам придется вторгаться в чужую частную жизнь, пусть даже в рамках необходимости, которой можем считать ваше пока совсем неоправданное беспокойство за судьбу своей сотрудницы. Между нами, всем бы такую судьбу. — Сергей ясным и долгим взглядом посмотрел на клиентку.

— Да, конечно, Виктория — человек везучий. Яркий...

— О таких людях всегда много говорят. Если вам что-то известно, поделитесь, пожалуйста. Пока я действую совершенно вслепую. Раз вы ко мне обратились, вряд ли разумно пытаться получать информацию от других сотрудников вашего института.

— Не стоит. У меня с подчиненными нет доверительных контактов. Никто не знает, что я навожу справки о Виктории. И вообще, в моей жизни нет такого странного и съедающего время занятия, как женская дружба... Просто случайно узнала недавно... У нас новый директор. Он, оказывается, был знаком с Викторией еще до того, как пришел к нам. Обычное знакомство в ночном клубе. Короткое. Через пару дней она ушла от него к другому в том же клубе. Собственно, это бесполезная информация, которую проверить невозможно. Алексей не поймет меня, если узнает, что я вам рассказала об их связи.

— Алексей — это директор? — уточнил Сергей.

— Да. Мы живем вместе... пару недель.

— Он тоже считает, что есть основания беспокоиться за Викторию?

— Да. Я добавлю еще, что она рано осталась без матери, отец недавно женился на женщине ее возраста, короче, ему сейчас не до дочери.

— Только вам известно, что ваш директор раньше был знаком с Викторией?

— Только мне. Он сказал, было еще такое недоразумение... Алексей в шутку постоянно приглашал сотрудниц к себе на дачу. Он считает, что мужское внимание повышает работоспособность и самооценку в женском коллективе. То есть это абсолютно невинный даже не флирт, а эксперимент, что ли... Он приглашает не на конкретное время, не называя адреса, понятно, что никто не поедет. Но всем приятно. Краситься стали, наряжаться... Короче, тринадцатого августа он из машины позвонил Виктории. Она задержалась на работе вместе с другой сотрудницей. Он в шутку ее пригласил, она в шутку согласилась. На следующий день она не вышла на работу, телефон не отвечал. Все решили, что она осталась у него. Зина растрезвонила об этом разговоре. А потом отец получил СМС от нее о том, что она улетает с другом в Турцию.

— Прошу прощения, вы уверены, что она не была у Алексея?

— ...Да. Он в тот вечер ненадолго съездил домой переодеться и приехал ко мне. Он живет за городом, в Голицыне.

— Ясно. Весело, наверное, в женском коллективе. Если я наберу штат из дам — бойцов невидимого фронта, — буду знать, как строить политику, повышающую производительность труда.

— Рада, что развлекла вас.

— Не обижайтесь. Просто я встречаю много людей, которые слишком драматично воспринимают то, что на самом деле вообще не является проблемой. Накручивают себя, грубо говоря.

— Да, это может быть, — быстро согласилась Ольга.

— Тогда — до связи, да?

— Да. — Волкова медленно поднялась. Вдруг захотелось рассказать все до конца, разделить с кем-нибудь невыносимую тяжесть, найти просвет.

Сергей придвинул к ней листочек с адекватной суммой, она расплатилась, пошла к выходу, у порога остановилась, чуть было не вернулась... Но не стала. Это немыслимо!

Кольцов после ее ухода какое-то время рисовал свои любимые треугольники, которые становились многоугольниками. О-А-В-Икс из клуба, который, возможно... К — Костаки... Потом набрал телефон Масленникова.

— Привет. Как у вас?

— Если ты по поводу Романовой, это не телефонный разговор.

— Вы на кафедре?

— Да. Буду еще около часа.

— Я подъеду через тридцать минут.

Александр Васильевич был не просто озабоченным, он оказался возбужденным.

— Сережа, давай пока в деталях ничего не обсуждать. Мы их слушаем, черт знает, не слушают ли нас... У тебя что?

— Девушка двадцати восьми лет, Виктория Князева, сотрудница московского НИИ, отдыхает сейчас с другом-греком в Швейцарии... Ее руководительница по какой-то причине допускает, что в Швейцарии не она. Ей кажется, что с Викторией что-то случилось.

— Руководительница — психопатка?

— Не исключено, конечно. Просто... вот фото Виктории Князевой. — Сергей нашел снимок в своем айфоне.

Они посмотрели на фото, потом друг на друга...

— Интересно, — говорит Масленников. — Если прикрыть лицо, я бы подумал, что это Марина Романова. Принеси медкарту Князевой. И поехали. У меня вскрытие.

По дороге к машине Сергей тихо спросил:

— А как вы решили с эксгумацией? Неужели к Земцову сразу пойдем?

— Сразу не пойдем. Он нас посадит. Не будет никакой эксгумации. Константин Петров сейчас курирует липовое следствие, я этому следствию даю невнятную экспертизу (именно такая им требуется), мы проведем липовые похороны. Муж уже в курсе. У твоего горе-клиента и горе-киллера Кузнецова в друзьях очень серьезный постановщик масштабных шоу. Есть такой Андрей Николаев. Ты, наверное, слышал. Это он срежиссировал внушительное ДТП как фон убийства Марины Романовой. Все материалы по этому ДТП съел вирус. Надеюсь, с похоронами тоже все будет красиво, а потом окажется, что ничего не было.

— Я знаю, кто постановщик, мы с Коляном на связи. А с Николаевым даже встречался по одному делу, — задумчиво сказал Сергей. — Неизгладимое впечатление произвел. Сутки потом у меня в голове звучала ненавистная с детства фраза: «Покой нам только снится». Я надеюсь, он не заиграется, больно много возможностей для эффектов в этом деле. А смотреть в честные глаза правосудия — то есть Славы Земцова — придется нам. Для Николаева Слава — это не уровень, правосудие — не догма. Не догма, а забор, который можно передвинуть.

— Сережа, я тронут твоим запоздалым благоразумием. Ничего, что все началось с тебя? Теперь вроде дороги обратно нет. Твой клиент, кстати, сидит в обнимку с двумя миллионами и ждет, когда его прикончат. Я повелся только на спасение женщины, но тут я — пас.

— А я мысленно с Колей, — легко сказал Сергей. — Он со мной не расплатился.

Глава 11

Коля Кузнецов бродил по квартире, пытаясь думать о том, приятно ли быть миллионером. Маленький противный критик с оттопыренными ушками и выпученными глазами, который давно живет в его мозгу, по ходу ехидно скорректировал мысль: «Приятно ли быть *живым* миллионером?»

— Отвянь, — беззлобно сказал ему Коля. Ему на самом деле казалось, что он видит эту дурацкую рожу с ушами. — Тебе не понять с твоим умишком. Вот я хожу, пинаю по дороге сумки, набитые доверху тем, чего мне вроде бы не хватало. Могу плюнуть на них. Я так живу. Десять дней назад хотел денег, сейчас хочу плевать на них. А если вдруг в квартиру ворвется очередной разовый киллер Костика с воплем: «Получай, фашист, гранату», я даже не успею сообразить, что меня уже нет. Получается, что мертвых миллионеров не бывает. И ты бы не злорадствовал, поскольку я — твой кормилец-поилец.

Эта отповедь самому Коле понравилась настолько, что захотелось выпить. Он прошел на кухню и налил себе маленькую рюмку водки. Напиваться точно не стоит. Судьбу свою лучше все–таки принимать на трезвую голову. После выпивки на сердце стало легче и даже что–то теплое и приятное, как котенок, зашевелилось в груди. Да, Маришка–то уже в безопасности! Этот сыч Николаев вывез ее в свой домик в Болгарии. Прям отец родной. А может, наоборот — клеиться к ней будет. Или уже это делает. Хотя он должен был сразу прилететь обратно. Чтобы спасать его, Колю! А зачем ему спасать его? Ради процесса спасения, уверенно ответил он себе. Андрей — он, конечно, маньяк по всему. Коля это понял во время организованного ДТП, когда все задействованные машины, водители, менты, врачи и прочие оказались нанятыми. И при таком шуме, взрывах и столпотворении никто не пострадал и вроде бы ничего нигде не осталось. Никаких документов. Ничего подобного от Николаева не требовали... Только сбить с толку преследователей и заказчика. Впрочем, Коля, конечно, не знает, как создается дымовая завеса для убийства, которого не было. Какую–то покойницу нашли! Елки–палки! Во сколько это обошлось ему, Николаеву? «Стало быть, он выручит меня, — просветленно подумал Коля. — Я ему, конечно, не самый родной человек и, может, вообще не человек, а раздолбай, как он неоднократно говорил. Но сумки у меня, а в них то, что требуется для его любимого дела. Совершать подвиги». Теперь все вроде стало на свои места.

Коля даже прошел в гостиную и включил телевизор. Сразу не понял, откуда раздается непонятный звук. Это закудахтал и затрепыхался один из «обезличенных» телефонов, которые лежали в ряд на крышке пианино.

— Привет, — раздался спокойный голос Кольцова. — Как дела?

— Привет. Ты удивишься, но жив.

— Очень хотелось услышать это от тебя самого. Я как раз собираюсь повидаться с твоим другом Николаевым. В общем, моя информация такая. Два ничем не примечательных отморозка сейчас общаются с одним из хмырей, которые тебя пасут. Если тебе интересно, вышеупомянутые хмыри — вполне достойные граждане, значатся курьерами на договоре в корпорации «Просвет». У них даже судимости нет. Если не справятся с порученным им делом и Петров их уволит, могут хоть в детский сад устраиваться воспитателями. Ментовка даст справку, что не привлекались никогда.

— Зачем им работать воспитателями и почему нужна справка?

— Ты не в материале, старик. Поскольку безработный по призванию. Сейчас без такой справки никуда не возьмут. Это кампания, направленная на оздоровление общества. Ну, а в детский сад... Куды ж еще, лакеям Петрова, как не туда, где надо новую смену растить.

— Интересно.

— Я проверяю твою реакцию. Хуже всего, когда человек в критической ситуации впадает в ступор. Ты вроде ничего.

— Водки выпил. Капельку.

— Хорошо, что капельку. Остальное припрячь. Пригодится. Значит, что еще хотелось бы сказать. Я сегодня прогуливался вокруг твоего дома. И мне показалось, что в квартире этажом выше — ровно над твоей — кричит ребенок. Я вызвал знакомых ребят из МЧС. Быстро приехали. Оказалось, над тобой никто не кричит, видимо, журавли закурлыкали, ну, в смысле — летят в теплые края. Там живет вообще бездетный гражданин, между нами, нетрадиционной ориентации. Ну, это так, к слову. Консьержка нашептала. И дома его не было. А мы уже поднялись. Короче, от твоего балкона вниз висит альпинистский трос. На всякий случай. Имей в виду. Пользоваться умеешь?

— Я в горы не ходок, но по канату передвигался по мере необходимости. Интересно, как это вы? Я ничего не слышал.

— По пению двойка была? — сочувственно спросил Сергей.

— Тройка. Но в результате сильного маминого давления. Понимаешь, странная такая учительница, с подвизгом: ей не нравилось именно то, что я любил петь. Громко.

— Коля, не будем об этой бедной женщине, я сильно расстраиваюсь. В общем, я все сказал. Надеюсь, прорвемся. До связи.

Глава 12

Петр уволил Ивана по телефону, без лишних выяснений. В лоб этот донжуан уже получил, а убивать всех водителей, сантехников и дворников, которые, что не исключено, украшали досуг его верной жены, Петр не собирается. Многовато чести для нее.

— Я тебе должен? — спросил он.

— Нет, — пробормотал Иван.

На самом деле он не получил зарплату за месяц. Ну, что ж. В такую сумму Иван оценил свое удовольствие. Домработнице Нине Петр, наоборот, заплатил за месяц вперед и сказал, что может ее порекомендовать хорошим знакомым.

— Спасибо, — сказала Нина. — Я сегодня уберусь у вас последний раз. И, если буду нужна, зовите. Я всегда... Вы ж знаете.

— Знаю, — благодарно кивнул Петр. Вот еще один человек, кроме матери, на которого он мог положиться. Но оставить Нину у себя он не может. Наверное, это называется «убирать свидетелей». Стыдно и противно смотреть в глаза тем, кто видел его позор. Меньше всего сейчас ему важен порядок в доме. Какой порядок... «Все смешалось в доме Облонских...»

Нина убрала, квартира засверкала, и на эти обломки семейного счастья Петр привез из клиники Веру. Он провел ее, бледную, настороженную, в спальню и сказал:

— Ты отдыхай. Видишь, Нина убрала, все поменяла... Она больше у нас не работает. Я сейчас сплю в комнате Вики. Потом решим, как жить дальше: эту квартиру будем делить, или ты поедешь в ту, которую я для Вики присмотрел. Разводимся, Вера, ты, надеюсь, поняла.

Она смотрела на него молча, затравленно. Горели сухие глаза, наверное, у нее температура, но он не чувствовал жалости совершенно. Он хотел, чтобы она поскорее исчезла из его жизни, не напоминала ни о пережитом унижении, ни о боли потери несчастного малыша, отец которого неизвестен. У Петра была возможность это узнать, но он не захотел терзать крошечное тельце и демонстрировать кому-то свой стыд. Какая разница, кто отец. Что изменится, если он случайно окажется биологическим отцом. Это не вернет ему ребенка, не отменит факта измены или многих измен жены. Нужно ставить точку. Он ушел, даже не предложив ей принести чаю или кофе. Сама справится.

Петр стоял у кухонного окна, курил, когда на пороге показалась Вера. Он тут же пошел к выходу.

— Подожди, — резко сказала она. — Как я поняла, ты решил оставить меня без всего. Из-за одной... ошибки. Петя, это было один раз. Ну, какое-то помрачение, может, из-за беременности. Я слышала, что так бывает. Но я — не Виктория, к которой ходили косяком... Я просто тебе не рассказывала. О ней все говорят такое...

— Замолчи! — Рука Петра невольно поднялась для пощечины, но он тут же ее опустил, сжал ладони в кулак. — Не смей касаться моей дочери!

Он вылетел из кухни, выдохнул, разжал кулаки и зубы. И внезапно вернулся.

— Значит, все говорят о Виктории? И ты с удовольствием принимаешь в этом участие? Так, может, ты знаешь, с кем она сейчас отдыхает?

— Я могу узнать, — в глазах Веры блеснула надежда. — Ну, хотя бы кто не поехал с ней, и тогда...

— Узнай, — сухо сказал Петр. — Развод не отменяется. Завтра попрошу адвоката написать заявление. Насчет квартиры — решай. Насчет остального — голой тебя не оставлю. Не помрешь с голоду.

Он опять пошел к выходу, но на пороге резко обернулся. И поймал ее взгляд. Она смотрела ему вслед с такой злобой... Боже мой, о какой любви может быть речь. А он, идиот, повелся. Она просто устраивала свою жизнь. А попалась по нелепой случайности: Курочкину захотелось пошутить. Петр вошел в свой кабинет, открыл сейф, достал старый альбом. Ира, первая жена, совсем девочка... Маленькая Вика сидит между ними, таращит испуганные глазенки и крепко держится за их руки. Она очень боялась фотоаппарата. Куда все девается? Сейчас, мягко говоря, она ничего не боится. «Ира, — шепнул Петр, — как же все... Мы точно любили друг друга. Точно, потому что были совсем бедные. И даже не думали о деньгах. Ты меня прости, хоть я тебя не предавал».

Глава 13

Коля как раз заливал кипятком растворимый кофе в кружке, когда входная дверь открылась, хотя была заперта изнутри на ключ. Коля вздрогнул, выпрямился, растерянно посмотрел вокруг: как отбиваться? Он взял со стола кухонный нож, с ужасом подумал, что они все забыли о том, чтобы оставить ему оружие для самозащиты. Подписавшись на убийство Марины, он только собирался достать пистолет. Но слишком быстро стало ясно, что он им не воспользуется. А что теперь? Он из кухни направился по коридору к спальне, где был балкон. В прихожей явно шептались. Если он выживет, то никому не расскажет, как ему стало страшно. Даже в том котле было не так жутко. Там он испытывал какое-то победное отчаяние, он мог сам взорвать себя, отобрав эту возможность у врага. И он был не один. Сейчас он как баран, загнанный в угол перед тем, как стать шашлыком. До спальни Коля не дошел. Они вошли из прихожей в коридорчик — два отморозка, точь-в-точь такие, какими он их себе представлял во время разговора с Кольцовым, каждый держал по пистолету.

— Слышь, не боись, — сказал один из них. — Бабки выдай, и мы пойдем. И все дела.

— Вы о чем? — спросил на всякий случай Коля.

— Ты че! Брось! Мы знаем, что надо взять. Быстро покажь!

Сумки стояли посреди гостиной. И нет совершенно никакой разницы — возьмут они их до того, как убьют его, или все будет в обратном порядке. Ясно, что операция Николаева то ли запаздывает, то ли вообще накрылась. Коля вдруг с победным отчаянием рванулся вперед, сбил с ног одного из бандитов и приставил к его горлу нож.

— Бросай оружие, — сказал он второму. — Или я сейчас перережу ему глотку.

У того растерянно забегали глаза, но пистолет он и не подумал бросить.

— Где деньги? — спросил он. — Скажи, я возьму и уйду. И режь его сколько влезет.

— Падла, — выдохнул Колин пленник. — Ты только не ведись. Мы по-любому тебя должны прикончить. Иначе нам никаких денег не видать.

Тот, с пистолетом, ногой открыл дверь в гостиную, заглянул, увидел сумки, осторожно, задом, попятился к ним, держа на мушке Колину голову. Присел, не опуская пистолета, второй рукой расстегнул молнию на одной сумке, на другой, быстро посмотрел на деньги... и стал палить в Колю и своего товарища. Никто из них поначалу ничего не понял. Бандит стрелял, Коля чувствовал какие-то мелкие удары по лбу, щекам, груди, потом увидел, что от головы его пленника отскакивают маленькие мячики... «Резиновые, детские пули, — понял он, — что это значит?»

В это время с грохотом вылетела входная дверь, коридор заполнили люди с автоматами.

— Всем оставаться на местах! — прогремел командирский голос. — Трепыхнетесь, стреляем без предупреждения.

Никто не трепыхнулся, но стрелки подняли автоматы и стали их расстреливать... Коля ясно видел лужи крови, теряя сознание. Он упал, но боли не чувствовал, как будто тонул в каком-то тумане. Со стороны он видел, как по квартире ходят люди, что-то делают... А он почему-то все не умирает. К нему и бандиту, который лежал в луже крови рядом с ним, уже приблизились люди с носилками, бандита уложили, накрыли с головой клеенкой... Коля поднял голову, потом приподнялся на локте и встал на колени...

— Эй! Не добили, — раздалось с порога.

И Коля упал, не в силах даже застонать, такой невероятной была боль в простреленном колене. Вторая пуля обожгла висок, он успел почувствовать горячие струйки крови, которые потекли по щеке в ухо... Последнее, что зафиксировалось в закрывающихся глазах, — из спальни вылетел парень в джинсах, кого-то повалил, а дальше... тишина.

Глава 14

Сергей обезоружил стрелка, сидя на его мягком толстом животе. Вытащил удостоверение: участковый Михаил Гончар. Посмотрел в круглые изумленные глазки, которые таращились на него снизу.

— Ты какого черта это сделал!

— Я — участковый, мне сказали, тут ограбление. Всех надо брать.

— Ты стрелял не в бандита, а в хозяина квартиры, ублюдок! Кто тебя прислал?

— Был звонок, честно...

— И сказали, в кого стрелять?

— Я, может, не понял... Пусти, мне дышать нечем.

— Кто звонил?

— Не помню...

— Ладно, у тебя будет время вспомнить, прежде чем перестанешь дышать совсем.

Сергей встал, схватил за шиворот участкового, доволок до площадки и собирался пинком направить его с лестницы. Тут-то и раздвинулась дверь лифта, и властный командирский голос спросил:

— Что происходит, черт бы вас подрал?

Сергей спустил участкового с лестницы и подошел к Андрею Николаеву, который вроде бы стоял, но явно чувствовал себя сидящим на белом коне.

— Рад вас приветствовать, господин Николаев! Мы сегодня общались, вы меня не узнали? Приехали, чтобы самолично возглавить свою успешную операцию?

— В чем дело? — в глазах Николаева промелькнула тревога. — Я узнал тебя, Серега. Я просто не понял, что ты сейчас сделал?

— Я спустил с лестницы участкового, который только что из табельного оружия, возможно, убил Николая Кузнецова. Или серьезно ранил: там сейчас ваши врачи, хотя они, наверное, тоже ряженые...

— Этого не может быть! Врачи настоящие! Зачем ты отпустил этого придурка? Надо было узнать, как он здесь оказался.

— Да как... Кто-то ему позвонил. Наверняка сказал — стрелять в Кузнецова. Для подстраховки, видно, вам не сильно поверили. Или заказчик, или тот, кто подарил вам эту операцию по большой боевой дружбе.

— Иванов не мог... Ну, мы разберемся, участковый никуда не денется. А деньги на месте?

— На месте. — Сергей редко смотрел людям в глаза так долго и серьезно. — Я думал, все это надо, чтобы человека спасти.

— Слушай, ты поповские проповеди произноси над покойником, если то, что ты сказал, — правда. А я уверен, что мои люди сработали как надо. И человек... — голос Николаева немного упал, — и с Кузнецовым все не так страшно... Я знаю этого участкового: он в овощную палатку с двух метров не попадет.

— А в голову попал.

Сергей повернулся и вошел в квартиру. Колю уже укладывали на носилки. Голова была забинтована, колено — тоже, вокруг повязки болтались мокрые от крови части разрезанных джинсов.

— Что? — рванулся к врачам Николаев.

— Пуля застряла в колене, надо вытаскивать. А голова... В рубашке парень родился. По касательной прошла. Содрала кожу с виска.

— Почему же он без сознания? — спросил Сергей.

— Он спит после снотворного, как они все, — ответил врач.

— Какого еще снотворного?

— Автоматчики стреляли снотворным, красные чернила — это для красоты, — сверкнул очами гордый Николаев. — А бандитам мы подменили оружие, они пульками резиновыми палили. Мои ребята зашли к ним перед делом — типа должок отдать. Они подумали, что их с кем-то перепутали, но должок взять очень даже захотели. Потом капельку обмыли честную сделку. Результат налицо. — Он скромно потупился. — Неудобно всякий раз это говорить, но я никогда не ошибаюсь.

— Ох, — с облегчением выдохнул Сергей. — Вы ж сейчас все выстроитесь на поклон, а я букеты забыл купить. Но, кроме шуток, Андрей, спектакль действительно классный. В свете того, что Кузнецов все-таки уцелел, пусть и не совсем.

— Ну, — довольно улыбнулся Николаев. — Мы только так. И Кузнецова починим. Ты обращайся в случае чего.

— Да я б с удовольствием... Миллионов только у меня нет.

— Ты что! Это ты к чему? У меня будет полный отчет по расходам для хозяина. Он деньги заработал честно: жертва убита и скоро будет похоронена.

— А как с ним дальше?

— Я как раз думал, но не успел придумать. Его нельзя объявить убитым, как Марину, опознавать родственникам будет некого, а им хотелось бы, наверное. Квартира осталась. Ну, и заказчику тоже, само собой. А так — Коля у нас побудет в коме, при последнем издыхании. Насколько я знаком с медициной, можно лежать долго. Тем временем мы все решим. Он придет в себя богатым человеком. В безопасном месте, если не успеем разобраться с этим беспредельщиком Петровым. Как же он мне не нравится!

— Он бы расстроился, узнав об этом, — невозмутимо заметил Сергей. — А куда потащили «трупы» бандитов? Неужели добивать?

— За кого ты меня держишь? — рассердился Николаев. — Они получили путевку в новую жизнь. Столько народу из теплых краев едет в Москву! Найдется и там два местечка для озябших московских гастролеров. Они очнутся при деньгах и при других документах. За ними присмотрят. А если возьмутся за старое... Упрячут по всей строгости, как говорится. Ладно, некогда мне тут с тобой. Собери, пожалуйста, все телефоны Кузнецова, посмотри, нет ли каких-то записей, точно ли он все стер в компьютере, а лучше всего — сломай его на фиг. Вот теперь надо бы позвать участкового — квартиру опечатать. Но не будем его лишний раз беспокоить. Я сам опечатаю, к нему загляну, опишу ситуацию. Действуй, я только один звонок сделаю.

Привет, Иванов. У нас все по плану. А вот у тебя — не совсем. Это не ты прислал участкового, который серьезно ранил хозяина квартиры? Ранил по безрукости, ведь целился точно в голову.

— Андрей Ильич, — задохнулся Иванов. — Как вы могли подумать! Понятно, кто его послал! Я еду за участковым, открываем дело о превышении полномочий, выстрел был по неосторожности — он ведь скажет, что в бандитов целился. Берем его.

— Не надо, ты что! Пусть пообщается с заказчиком, послушаем, может, еще на кого выведет. Ценный кадр. Слуга всех господ. Сколько вчера–сегодня на счет ему упало, посмотри, пожалуйста. Пригодится.

Николаев и Кольцов вышли из квартиры, опечатали ее. У Николаева все всегда было с собой. Затем пообщались с консьержкой и кучкой соседей, которые, переждав военные действия, выползли из своих квартир, ибо могли там умереть от любопытства. Дали им информацию, которую надо пустить по дому, и желательно не одному. Пошли к машинам.

— Андрей, а ты заходил в ванную Кузнецова? — спросил Сергей.

— Нет, а что там? — живо отреагировал Николаев. — Не труп?

Сергей сочувственно посмотрел в глаза командира, для которого всегда продолжается бой.

— Мама говорит, надо на ночь пить чай с медом. Успокаивает. Не знаю. Не пробовал. Нет, там не труп. Там у него не ванна и даже не джакузи, а половина солнца, не меньше. Как человек, купивший такую веселую штуковину, мог подумать, что у него получится стать киллером...

— Псих, — спокойно объяснил Николаев. — Поэтому его и повезли в одну маленькую частную психушку, где никто его не найдет. Они ж будут искать нейрохирургию...

Глава 15

Раздраженная Ольга вошла в кабинет директора. Алексей вяло поднял голову. Перед ним на столе лежала папка с документами, в кои он с видимой неохотой пытался вникнуть, что получалось плохо. Так показалось Ольге, которая давно не находила в его взгляде не то чтобы энтузиазма, увлеченности — не было даже дежурной сосредоточенности руководителя. Он выпал из действительности и не собирается в нее возвращаться.

— Алексей, — голос ее чуть вибрировал, ровный тон давался с трудом, — ты назначил меня своим заместителем, чтобы самоустраниться? Чтобы все проблемы института взвалить на меня? А ты будешь тут сидеть как украшение интерьера?

— Ты хочешь сесть в это кресло? — устало спросил он, словно человек, готовый к наихудшему. — Я буду только рад. Это справедливо. Ты на самом деле крутишься одна... Правда, мне казалось, я сделал то, что требовалось: выбил финансирование...

— Ты выбил. Гранты. Мы, работая на примусах, получили возможность приобрести настоящие приборы. Дорогие. Я очень люблю нашу промышленность, но она не отвечает мне взаимностью. Приборы мы будем приобретать у солидных международных фирм. Уйдет не меньше двух месяцев на аукционы... Сейчас сентябрь!

— Ты куда-то спешишь? Вы столько лет работали, как сама сказала, на примусах.

— Деньги спешат. Их выделяют осенью, чтобы мы освоили всю сумму до конца декабря. С целью вернуть их обратно в бюджет, если мы не успеем. А мы не успеем. Я все утро сижу на телефонах, на связи. Даже если мы получим то, что нужно, до конца декабря, мы не успеем оплатить: у фирм начнутся рождественские каникулы. И все. Пролет! «Извините, мы вам выделили слишком много. Раз вы не нашли этим деньгам применение, они возвращаются в бюджет».

— Да? На что?

— Вопрос интересный...

— Прошу прощения, — раздался от двери мужской голос. — Невольно подслушал ваш разговор. — В кабинете стоял, и похоже давно, частный детектив Кольцов.

Ольга и Алексей с изумлением на него уставились.

— Я честно стучал в дверь, — объяснил Сергей, — кашлял, здоровался вам в спины. Но вы были так увлечены разговором, что не замечали меня. Теперь мне стало интересно: в чей именно бюджет пойдут деньги, на которые вы, не дай бог, конечно, не успеете купить оборудование?

— Какого черта? — тихо и гневно спросила Ольга. — Что вы здесь делаете?

— Извините, Ольга Витальевна, что не позвонил. Просто мимо проезжал, решил сообщить хорошую весть. Штраф, который с вас взяли за неправильную парковку два дня назад, действительно не является обоснованным. Вы имели право там припарковаться. Так что три тысячи вам, скорее всего, вернут.

Ольга смотрела на него испепеляющим взглядом.

— Я — юрист, — любезно объяснил Алексею Сергей. — Кольцов. Очень приятно познакомиться. Ольга Витальевна обратилась ко мне по поводу этого возмутительного случая со штрафом. Что они себе позволяют!

— Оля, ты сошла с ума? Ты только что говорила о своей великой занятости. А тут юрист... Из-за парковки. Три тысячи...

— Да, забыла тебе рассказать. Мы договорим у меня в кабинете, Сергей.

Они с Кольцовым быстро прошли по коридору, Ольга, несмотря на шок, отмечала оживившиеся взгляды сотрудниц, которые случайно попадались одна за другой им навстречу. «Ужас какой-то, — мелькнуло у нее в голове. — Образованные женщины, научные сотрудницы. Увидят мужика — летят, как драные кошки, только что не воют утробно». Они вошли в ее кабинет, она плотно прикрыла дверь, но рот открыть не успела.

— Спокойно, — сказал Сергей. — Как вы отчитываете директора, я слышал. На меня не стоит тратить свой пыл. Не так уж плохо я придумал с этим штрафом. Мне надо было вас увидеть, не хотелось говорить об этом по телефону... Вы что, не рады?

— Садитесь. Зачем вы явились в кабинет директора?

— Мне неудобно было ждать вас в пустом кабинете. А в коридоре столько приятных во всех отношениях дам... Я страшно стеснительный. И решил познакомиться с вашим директором... и другом. Что не так?

— Зачем вам понадобилось с ним знакомиться?

— Я — воспитанный человек. Мы долго будем выяснять то, что никакого отношения к делу не имеет?

— Что-то случилось?

— Не знаю пока. Требуется ваше поручение, если сочтете серьезным то, что я скажу. Обнаружен труп девушки, убитой выстрелами в затылок. Ее доставили в морг с Киевского шоссе 14 августа. Ей не больше двадцати восьми лет, она такого же роста, как Вика Князева, я взял медкарту Виктории в ее поликлинике. Лицо пострадало, опознать трудно... Вам плохо?

— Да, — еле выговорила Ольга. — Сердце прихватило. Сейчас пройдет. Что делать?

— Да вот это и нужно решить. Вы говорили, отец общается с дочерью по телефону, у него нет никаких сомнений в том, что она за границей. На каком основании мы его пригласим на опознание? Речь идет только о вашем смутном подозрении, и больше у нас ничего нет.

— А вы проверяли, никто не ищет девушку с такими приметами, пропавшую в то же время?

— Проверял. Не ищут. Что еще ни о чем не говорит. К сожалению, убитых девушек часто не ищут. Они бывают приезжими, их могут считать выехавшими на отдых, в командировку...

— Что в таких случаях делают?

— Если возбуждено уголовное дело, следствие может дать информацию, к примеру, по телевидению... Но дело не возбуждалось... пока. Девушку в морг доставила не полиция. Частный автовладелец привез, отказался сообщать свои данные. Не хотел, чтобы потом его таскали давать показания. Вы знаете, люди избегают светиться в таких историях. Его можно понять. Хорошо, что подобрал.

— Ей уже все равно, — сказала Ольга сквозь зубы. — Что вы предлагаете?

— Ситуация щепетильная. Можно попасть впросак. Эксперт говорит, нужно попытаться сделать анализ ДНК, если будет какой-то материал отца... Хотя бы волос.

— Я могу к нему съездить... Не знаю, как это может получиться...

— Ольга, вы говорили, что ваш друг Алексей был в близких отношениях с Викторией. А нельзя ли его посвятить в ситуацию и попросить посмотреть труп? Вдруг он четко скажет, что это не она, и вопрос будет закрыт.

— Нельзя, — отрезала Ольга. — Это бред. Как человек, который несколько лет назад провел ночь с девушкой, может опознать или не опознать ее в изуродованной покойнице?

— Но вы говорили, что он тоже обеспокоен исчезновением Виктории...

— Не настолько, чтобы мчаться в морг — смотреть на трупы.

— Ну что ж. — Сергей встал. — Наверное, пора подключать официальное следствие. Заведующему моргом не хотелось все это затевать. Но раз нас заинтересовал этот случай...

— Не нужно пока никого подключать, — выпалила Ольга. — Я попробую съездить к ее отцу, я же сказала. В конце концов, я поручала вам всего лишь узнать, что с Викторией. Что произошло с этой несчастной, которая, возможно, Викторией не является, не мой вопрос. И, полагаю, не ваш, поскольку вы работаете на клиента. То есть на меня в данном случае.

— Вы четко обрисовали ситуацию, — заметил Сергей. — Наверное, вы хороший ученый. Так же четко разберетесь с новым оборудованием, и оно не окажется миражом.

Когда он вышел, Ольга какое-то время сидела в ступоре, парализованная одним словом — «мираж». Она, видимо, сходит с ума, если ей хоть на секунду показалось, что история с трупом на террасе Алексея — наваждение. Галлюцинация. Мираж. Наверняка в психиатрии отмечены случаи, когда у двух людей возникают страшные видения, а они принимают их за реальность. Наверняка такие случаи есть... Но это не их с Алексеем ситуация.

Глава 16

Весь вечер Ольга провела за компьютером, рассылая письма, делая заказы, просматривая расценки на ремонтные работы. Алексей время от времени останавливался за ее спиной, смотрел на монитор. Она озабоченно хмурила брови и морщила лоб, один раз повернулась к нему с вполне правдоподобной претензией:

— Алеша, ты не обижайся, но тебе необходимо воспользоваться своими связями, иначе все, что так хорошо начиналось, растает, как... мираж и мы окажемся у разбитого корыта.

— Да-да, конечно, — поспешно согласился он.

Они внимательно посмотрели друг другу в глаза. Он подумал: «Может, все действительно забудется, рассосется. И мы начнем нормально работать и жить. Ведь Оля не сломалась, она даже ни о чем не вспоминает».

Она подумала: «Он точно ничего не заподозрил, когда в кабинет вошел Сергей со своей дурацкой историей по поводу штрафа? Он не боится, что я его... выдам? Кольцов пришел знакомиться с Алексеем не потому, что я каким-то образом это спровоцировала? Скорее бы Леша лег спать».

Она еле дождалась, когда он, извинившись, пожаловался на усталость и отправился в спальню. Через полчаса она тихонько вошла и посмотрела: Алексей на самом деле спал. Ольга вздохнула с облегчением. Наконец-то она может чувствовать себя свободно в собственной квартире. Если бы в их отношения не вторглась эта трагедия, она бы, разумеется, выбрала независимый союз. Он жил бы у себя, они бы встречались то на ее территории, то на его — по обоюдному желанию. И по такому же желанию давали друг другу отдых, возможность побыть наедине с собой. Ольга именно так представляет гармоничные отношения. Он, возможно, тоже: у них во многом сходятся вкусы. Сейчас они в плену. Она даже думать не способна в его присутствии. Самое ужасное, что приходится притворяться и врать. Иначе их существование превратилось бы в кромешный ад: они бы говорили только об одном. И страшно подумать, до чего бы могли договориться.

Она вернулась в кабинет, села за стол и попыталась проанализировать, что сегодня произошло. Значит, Вику нашли, а как могло быть иначе... 14 августа, Киевское шоссе, девушка, убитая выстрелами в затылок. Лицо не опознать. Дело не заведено. Ее не ищут. Ольга не уверена, что это Виктория. Если бы она не пошла к частному детективу, этот неопознанный труп никто бы не связал с ее исчезновением.

Князева может вернуться! Но сыщик — если он хороший сыщик — вдруг захотел просто из любви к искусству порыться в каких-то деталях, выстроить их в полную картину... Кольцов ведь не случайно зашел посмотреть на Алексея! Что она натворила! Так. Ищем плюсы. Девушку нашли, дело не заведено, через какое-то время она и все, что с нею связано, будут похоронены. Ответ: к этому и надо стремиться. Никакого участия, развеять все предположения Кольцова, пусть думает, что ее обращение к нему — это просто нервы... Доказать никто ничего не сможет и, главное, не собирается, поскольку это она заказывала расследование. А ей оно больше не требуется. Знать правду она не хочет. Она хочет нормально жить и сама разберется, что собой представляет человек, который стал ее мужчиной. Ну, вот такой странный способ выбрала судьба, чтобы их свести.

Ольга уснула на рассвете глубоко, как засыпала обычно после сложной работы. Проснулась с четкой мыслью: когда найденную девушку похоронят как неопознанное тело в безымянной могиле, закончится самое страшное ожидание ее жизни. Это ожидание разоблачения. Алеши — как убийцы, ее — как сообщницы. Лишь страх мог подтолкнуть ее к попытке приблизить это разоблачение. Нет страха — нет разоблачения.

Они приехали на работу, Ольга испытывала даже какой-то подъем. У многих людей, наверное, есть скелеты в шкафу, но они не летят добровольно под фонарь. Жизнь состоит из света и тени. Самое главное — никакого следствия не будет! Никто сюда не придет! Ей даже захотелось рассказать об этом Алексею. Но сначала нужно дать отбой Кольцову. Ольга набрала его номер.

— Сергей, доброе утро. Ехала сегодня на работу и думала: вы действительно отличный сыщик, Моника была права. Вы сумели поставить мои мозги на место. Эта убитая девушка... Когда вы мне рассказали, я сначала испугалась. Ночью подумала обо всем подробно и поняла: из-за таких случаев — в газетах, по телевизору — мне и полезли в голову всякие страхи насчет Виктории. Да, девушки пропадают, кого-то убивают, кто-то, наоборот, счастливо выходит замуж в Швейцарии, а потом вспоминает, что надо об этом сообщить близким. Я к тому, что четырнадцатого, пятнадцатого и так далее августа в разных местах Москвы, Подмосковья и других городов наверняка нашли не одну мертвую девушку. И всем им может быть до тридцати лет, и они могут быть такого же роста, как Виктория... Но я не желаю больше участвовать в развитии собственных фантазий. Ваша история меня отрезвила. Ну, подумайте: в моей жизни все в порядке, Виктория мне даже не родственница, не хватало еще опознавать трупы, выдергивать волосы у ее отца... Нелепо, правда? Мы с вами заигрались.

— Можно и так сказать, наверное, — согласился Сергей. — Действительно, вы поделились со мной своими опасениями, ничем серьезным не подтвержденными. А я к вам сразу — с трупом. Понятно, что это беда и проблема других людей... Даже если убитая — Виктория Князева. Кстати, вы не знаете, у нее есть ярко-розовый костюм с черным кружевом?

— Я... не знаю.

— У Виктории есть такой костюм. Я нашел ее фото в альбоме на мейле. Убитая девушка там точно в этом костюме. Интересно, он сшит по заказу или они продавались где-то партией... Ну, это я так. Мысли вслух.

Глава 17

Обнаженная женщина лежала в шезлонге у озера и смотрела на солнце. Возможно, только она умела смотреть на солнце не щурясь, изредка опуская длинные ресницы на черные глаза, как будто прорисованные кистью иконописца, — вверх к вискам. Она очень любила солнце. Ей никогда не было жарко. Ее смуглое, идеально пропорциональное тело блаженно нежилось в объятиях прогретого воздуха. Только так она представляла себе отдых — никакой одежды, много света, солнца, воды и только одна пара влюбленных глаз. Она не повернула головы, зная, что он уже не одну минуту стоит рядом и любуется ею. Так хорошо молчать, когда знаешь, о чем думает он, а он точно знает, о чем думаешь ты... Женщина подняла руки над головой, потянулась, глубоко вздохнула, и он тут же опустился перед ней на колени. Тоже смуглый, черноглазый, с красивым четким профилем, накачанным торсом, тонкой талией... «Одним словом, грек», — подумала она, ласково взглянув на него, и легко провела ладонью по волнистым волосам, стройной шее, широким плечам... Он поймал ее руку и прижал к губам. Они здесь, вдали от всех, уже почти две недели, и дни, часы стремительно пролетают в мучительном наслаждении — сдерживать себя в почти безумном желании не разъединяться, не возвращаться к существованию двух разных людей, как было задумано двуполым божеством. Они доходили до запредельного блаженства, и через миг их тела опять тянулись друг к другу, словно после разлуки.

— Уля, Уленька, — бормочет он, целуя ее ноги, бедра, нежный живот, роскошную грудь. — Как я тебя нашел в огромной России, вообще в этом мире. Я все время удивляюсь, особенно тому, что на свет появилась такая красота. Как родители догадались тебя назвать этим именем — Ульяна. Я не знал, что есть такое имя...

— Есть, — ответила она лениво. — Только я сама никого с ним, кроме себя, не знаю. — Она рассмеялась. — Зато Димка у нас — каждый второй. И только ты — грек.

— Мне нравится, когда ты меня называешь Димкой. Но я думаю, среди твоих мужчин были еще Дмитрии?

— Не надо, — сказала она резко. — Не было у меня никаких мужчин. Не было прежде ничего, кроме нас. Разве мы не договорились?

— Договорились, — шепнул он, мягко и властно раздвинул ее бедра, пробуя на вкус свою радость, вдыхая ее запах...

Они вышли на веранду, где был накрыт небольшой стол — легкая еда, легкое вино, фрукты. Он был в плавках, она — не одевалась. Его это удивляло и восхищало в ней — абсолютная непринужденность, естественность, никакого смущения, как будто одежда — ненужная условность. И при этом — ничего вызывающего, демонстративного, ничего общего с вульгарностью и распущенностью. Просто ей так удобно.

Потом они сидели в мягких креслах, глядя, как блестит озеро вдали. В нем отражались солнце и небо. Розовое в голубом... Они держались за руки, словно счастливые дети. Он с трудом проговорил:

— Мне звонили. Все пока нормально. Эта девушка... Ее никто не ищет.

Ульяна быстро посмотрела на него. Глаза сразу стали тревожно-грозовыми.

— Но когда-то же начнут искать?

— Пройдет еще какое-то время, и поздно будет искать.

— А если не поздно?

— Григорий сказал, в любом случае у тебя уже будут твои документы. Мы опять потеряемся. Никакого отношения к ней.

Под грузом напоминания о жестоких обстоятельствах она задержала дыхание, сжалась, прикрыла глаза, и солнце сквозь ресницы стало казаться раскаленным шаром... Когда Ульяна была маленькой, ее бабушка говорила, что грешников жарят на сковородках в аду. А Ульяна плакала и кричала:

— Ты злая! Перестань говорить мне эти гадости!

Она всегда жутко боялась боли.

Димитрис посмотрел на нее с состраданием. Они, конечно, попали в чудовищную ситуацию, но все скоро кончится. Они все забудут. Они забудут об этом через пять минут. Он решительно встал и потянул ее за руку. Срочно нужно возвращаться в их горячий и укромный мир на двоих. За границами этого мира — ненависть и смерть. Но их побег из него станет победой. Они вошли в спальню, опустились на прохладные простыни... И тут же исчезли призраки прошлого, опасность будущего. Им нет равных, с ними ничего не случится, потому что никто еще так не любил.

Глава 18

— Даша, Даша! — кричала Марина. — Иди сюда быстрее.

Даша появилась на пороге, вытирая мокрые руки о передник.

— Случилось что?

— Я прочитала в Интернете новости о нападении на квартиру москвича Кузнецова. Это Коля! Его адрес. Бандитов убили при попытке вооруженного сопротивления, хозяин квартиры тяжело ранен, он в коме...

— Не поняла, какой еще Коля?

— Ты что! Я же тебе рассказывала. Это он... ну, вроде взялся меня убивать, а сам спас! Даша, звони своему хозяину срочно! Я должна все знать!

— Ну, помню, да. Ничего себе друг любезный — убить тебя собирался. Ладно, не начинай, ты все мне уже объясняла. Я не поняла. И спас тебя Андрей. Никто, кроме него, никого не спасал. Не буду я ему звонить ни с того ни с сего. Сам позвонит, тогда и спросим. Если все так, то что поделаешь... Раз он в коме.

— Ты что?! — Марина вскочила со стула, метнулась к окну, потом к двери. — Да я сейчас просто сбегу. Найду аэропорт, попрошу, чтоб в Москву отвезли. Скажу, что документы и деньги потеряла. Он, наверное, решил, что я вещь, этот твой великий спаситель Андрей? Как же он Колю в беде оставил? Как допустил, чтоб его ранили? Мне говорил, что они — боевые товарищи. Даша, я серьезно. Я улечу в Москву, найду Колю.

— Чудеса. У нее в Москве ребенок, муж, ее прячут, чтоб бандиты с ними ничего не сделали, а она полетит на бумажном самолете Колю искать. Я запру тебя на ключ!

— Я же сказала: окно выбью. Ты не сможешь меня стеречь круглосуточно.

— Точно говорят: не делай добра — не получишь зла. Андрей вечно в это влипает...

Даша быстро взглянула на Марину, оценила уровень ее волнения и решительности и достала телефон.

— Андрей, это я. Извиняюсь, наверное, помешала. Но тут Марина буянит. Прочитала, что вроде ее Колю... Ну, того, что ее убить собирался, — говорит, будто его ранили и он в коме... Лететь в Москву собралась. Хочет разбить окно, бежать в аэропорт, проситься без билета... Даю. — Даша с непроницаемым выражением лица протянула ей телефон.

— Марина, спокойно, — раздался уверенный голос Николаева. — Все не так страшно. Ситуация под контролем. Я скоро прилечу, объясню. Или мне все бросить и мчаться вас успокаивать? Вы понимаете, сколько людей зависит от вашего благоразумия? Что за дела?

— Где Коля? Он в коме?

— Он в клинике, разумеется. Насчет комы точно не скажу. Я не врач.

— Бред какой-то. Человек или в коме, или нет, для того чтобы это знать, не нужно быть врачом. Вы вообще его видели?

— Да. Мне показалось, что он спит. Больше терзать меня на эту тему не стоит. Я скоро приеду, он через какое-то время, возможно, тоже. Что за ненормальная привязанность к человеку, который собирался вас убить?

— Он не собирался! Он не меня... — Марина всхлипнула. — Я в ужасе от того, что случилось, и от того, что вы говорите.

— Ладно. Прекратите истерику, пожалуйста. Возьмите себя в руки. Это хорошо, что вы позвонили. Я как раз собирался сам звонить. Необходимо очень подробно вспомнить все, что касается вашей работы у Петрова. У вас хорошая зрительная память? Документы можете воссоздать хотя бы примерно?

— Я все помню точно. Даже реквизиты.

— Серьезно? Как много у вас достоинств.

— Думаете? — с сомнением переспросила Марина.

— Не важно. В общем, рано или поздно придется поработать со следователем. Это более разумный путь для возвращения из моего плена, чем вышибание окна.

— Да, — храбро сказала Марина, хотя ей стало очень страшно. — Я вспомню... Андрей, вы не знаете, как Артемка?

— Хорошо. Он с бабушкой на даче. Ему сказали, что вы отдыхаете.

— А что он?

— Он сказал: «Нет, не хочу. Пусть будет с Темой». Цитирую слова вашего супруга, который тоже в нормальном здравии, хотя вы забыли об этом спросить. Наверное, очередь до него не дошла?

Марина не ответила, она представила себе круглые, огорченные глаза сына и, сунув телефон в руки Даше, горько разрыдалась, закрыв лицо руками. Слезы текли даже по шее.

— Она ревет, — деловито доложила хозяину Даша.

— Ну, так сделай что-нибудь, — беспомощно сказал Николаев. — Дай ей капель каких-то или гоголь-моголь, что в таких случаях дают...

— Нормальным людям — водку, а ей я дам снотворную таблетку. Мне надо готовить, убираться, на рынок идти, я ее сторожить не собираюсь.

Марина уже сама легла на кровать, закуталась в простыню, ей казалось, что она никогда не перестанет плакать. Две таблетки она проглотила послушно. С облегчением стала уплывать в сон. Вечером Даша с трудом ее разбудила и поставила на столик поднос с каким-то горячим, ароматным, острым блюдом, оно у нее получилось невероятно вкусным. Марина поела, выпила стакан сока, поблагодарила и вдруг умоляюще посмотрела на Дашу.

— Скажи мне что-нибудь хорошее, пожалуйста. Вы со мной разговариваете, как будто я в чем-то виновата.

Даша села рядом с ней, взяла за руку, улыбнулась.

— Да не виновата ты ни в чем. Ну, там серьезные дела, а ты мешаешься со своими капризами. Андрей сам знает, как все сделать, чтоб правильно было. И вот что я тебе скажу. Ты сильно достаешь его с этим своим убивцем Колей. Никакому мужику это не понравится.

— Ты о чем? Коля — мой друг. Андрея я вообще толком не знаю. Как это я его достаю?

— Так. Он тоже тебя не знал. Но спас, привез в свой дом. Конечно, здесь многие у нас пересиживали. Но скажу тебе точно. Ты ведь хотела услышать хорошее. Он к тебе относится не так, как ко всем. Только я этого тебе не говорила.

— Ну ты даешь, — изумилась Марина. — Я в шоке. Мы виделись полчаса вроде.

— Это ты виделась полчаса. А он тебя тащил из Москвы, как спящую красавицу.

— Ой, да. Надеюсь, я не храпела.

Глава 19

По идеально ровной дороге среди прекрасных деревьев, какие бывают только в заповедном месте, на небольшой скорости, легко, как по маслу, ехал «Астон Мартин», элегантный, безупречный и вполне скромный автомобиль, отличающийся от большинства иномарок не только ценой — на нем был знак совершенства. Как на этих деревьях, какие никогда не вырастут в пыльном месте у грязной дороги. Собственно, тут и был раньше заповедник, а теперь — поместье одного хозяина. «Астон Мартин» проехал мимо нескольких вышек охраны, остановился на минуту у высоких ворот, которые разъехались перед ним, открывая шикарный особняк — разные уровни, башни, причудливые балконы, террасы, окна... Этот особняк просто трещал по швам от шальных денег его хозяина. Автомобиль, проехав по широкой дорожке, остановился у парадного входа рядом с помпезным фонтаном, фонарями, статуями и прочей атрибутикой богатства. Когда со ступеней стал спускаться хозяин, из машины вышла женщина среднего роста, с прекрасной фигурой, в простом черном костюме с узкой юбкой и приталенным жакетом. Ее темно-русые волосы были гладко зачесаны назад и уложены толстой косой на затылке. В некрашеных прядях блестели серебряные нити. Женщина была в возрасте, но о таких, как она, никогда не говорят «немолодая», «пожилая». Она была отмечена знаком совершенства.

— Здравствуй, Мария, — сказал, целуя ей руку, хозяин дома, крупный холеный мужчина в домашней одежде — джинсах и клетчатой спортивной рубашке. Спорт однозначно занимал не последнее место в его жизни, поэтому живот гурмана и сибарита вполне компактно держался под ремнем джинсов.

— Здравствуй, Вася, — ответила женщина красивым грудным голосом, мельком взглянув на него черными глазами удивительного разреза — к вискам.

Они прошли в гостиную, где был накрыт небольшой столик у террасы, посидели, немного выпили, Мария съела пару виноградин. Поговорили о том, какая красивая осень на дворе.

— Извини, я тороплюсь, — небрежно сказала Мария и встала.

Он кивнул и смотрел, как она уходит из гостиной по широкому коридору в сторону ванной, с чувством, которое всегда возникало после этой ее фразы. Ему казалось, что его подвинули с дороги ногой, как ненужный предмет. «Ну, ничего, что поделаешь», — сказал он себе, выпил в одиночестве полстакана виски, тоже направился к ванной, откуда она как раз выходила в пушистом розовом халате. Они вошли в спальню, не касаясь друг друга. Эта комната, обшитая ценными породами дерева, была набита символами мужской власти и превосходства. Колонны, тумбы, стойки, эротично-откровенные авторские диваны, огромная кровать с резными спинками, со множеством разного размера, цвета и формы подушек. Мария подошла к кровати и сбросила халат на толстый ковер шоколадного цвета. Потом удобно устроилась среди подушек, а он, медленно раздеваясь, пытался поймать ее взгляд. Но она никогда на него не смотрела. Этот ее неуловимый взгляд, казалось, разглядывал все вещи в комнате, но она не видела его. Эта ее гордыня его и возбуждала, как он сам себе говорил. Он придавил ее сразу всем своим весом, пристально разглядывая лицо, видел морщинки, горестные складки у губ... Что поделать: никто из его молодых любовниц не вызывал в нем такого желания. Их секс был похож на борьбу. Он пробовал во время близости говорить о других женщинах, чтобы разжечь в ней ревность, он бывал с ней грубым, почти жестоким, иногда доставлял ей боль, наслаждался ее беспомощностью, но в результате она поднималась легко, непринужденно, как королева с трона, и ему всякий раз казалось, что она переступает через него. Он смотрел ей в спину и придумывал любовные истязания. Он знал, что может доставить ей боль. И она это знала. Поэтому подчинялась ему, как миленькая.

В гостиной, уже одетые, они выпили по бокалу вина. Она молчала.

— Тебе было хорошо? — небрежно спросил он.

— Конечно, — еще более небрежно кивнула она.

— Интересно, почему ты ни разу в постели не назвала меня по имени? Я уж не говорю о чем-то более интимном...

— Милый, дорогой? — насмешливо спросила Мария. — Это не мой стиль.

— Ты куда так торопишься?

— Магазины, хозяйство...

— Как дети?

— Все хорошо.

— Давно нигде не встречаю твою дочь.

— Она отдыхает.

— Где?

— Точно не знаю. Путешествует.

— Странно. Она вроде бы никуда не выезжала.

— Ты это проверял? — рассмеялась Мария. — А я не сказала, что она путешествует за границей. Она очень любит русские деревни. Березки, колодец, все такое. И чтобы чисто вокруг.

— А-а. Ты имеешь в виду — никакой швали типа меня?

— Я вообще не думала о тебе в данном случае. Какое отношение ты имеешь к моей дочери...

— Да никакого. Просто содержу вас всех. Как машина? Нравится?

— Еще бы. Спасибо. Мне на самом деле пора.

Она направилась к выходу, во дворе коснулась губами его щеки, как всегда, прикрыла глаза.

— Я завтра позвоню, — сказал Василий.

— Конечно.

...Мария медленно ехала по Москве. В сумерках город казался ей чужим. И жизнь ее вдруг стала какой-то чужой. Она остановилась у элитного салона меховых изделий. Вошла в небольшой уютный зал, где к ней сразу бросились две продавщицы, повели показывать новинки. Она внимательно рассматривала в их руках полушубок из соболя, потом шубу из белоснежной норки, взяла полушубок. Не надевая, просто приложила к себе. Мех выгодно оттенял роскошные волосы, черные глаза. Девочке пойдет. Она подарит это ей к Новому году... Если они все будут живы.

Она вышла, села в машину, доехала до элитного дома на Остоженке, поднялась на третий этаж, где находилась только ее квартира, открыла тяжелую дверь, зажгла свет в прихожей...

— Толя, ну почему ты сидишь в темноте, — произнесла она, глядя на светлую голову парня, который как будто спал в глубоком кресле. Ее сын всю жизнь ждет ее. Взрослый мальчик, скоро двадцать лет.

— Где ты была? — Он всегда так тревожно смотрит своими серыми глазами.

— По делам ездила, по магазинам. Пойдем на кухню, поужинаешь, посмотрим телевизор.

Он послушно пошел за ней — худой, нескладный, похожий на подростка.

— Что ты делал? — спросила она у него, когда он пил кофе со сливками и пирожными: у него были вкусы, как в детстве.

— Ничего. Кто-то звонил, но я не брал трубку.

Мария подошла к нему, обняла сзади, вдохнула родной запах, прошептала:

— Ты скоро тоже уедешь. Все будет хорошо.

Глава 20

Коля проснулся в больничной одноместной палате, шевельнулся и почувствовал резкую боль в колене. Между тем нужно встать, дойти до туалета, ванной и в идеале до какой-нибудь столовой. Нет, черт побери, почему так ужасно болит нога? Она вообще есть? Или это уже фантомная боль? С тех пор как Коля ступил на опасную тропу сотрудничества с бывшим командиром Николаевым, он внутренне был готов ко всему. Нога оказалась на месте, правда, повязку на ней явно пора поменять: проступили пятна крови. Елки! Голова тоже забинтована. Что там? Это особенно интересно. Коля помотал ею из стороны в сторону, что-то пощипывало на виске, но в целом сильной боли нет... Опять же, есть ли там чему болеть? Может, ему уже сделали трепанацию, и непонятно, чем он думает. Коля увидел на тумбочке стакан с водой и ложку. Воды попил, ложкой заколотил в стену. В палате появилась серьезная женщина в халате и медицинском колпаке.

— Вам что-то нужно?

— Вопрос интересный, — изумился Коля. — Мне нужно все, это непонятно? В туалет, в ванную, обед, ужин, медицинскую помощь. Я не знаю, что у меня с ногой и с головой. Вы кто?

— Старшая медсестра. Валентина Ивановна, — сказала женщина тихим бесцветным голосом. — С чего вы хотите начать?

— С головы. Что мне сделали?

— Вы были ранены. Голова обработана, перевязана, из колена вынули пулю.

— Пуля сразу попала в колено или сначала в голову, а потом сползла?

— Как я понимаю, вы пошутили?

— Я так отреагировал на ваше объяснение: обработали голову, а пулю достали из колена. Как такое может быть?

— Очень просто. У вас на виске царапина.

— Другое дело. А то я лежу — удивляюсь: почему мой могучий разум не пострадал?

— Даже если он пострадал, мы вам поможем, — дружелюбно сказала Валентина Ивановна. — Вы в психиатрической клинике.

— Да вы что! То есть чем-то подобным это, конечно, должно было закончиться, но... Я желаю видеть Андрея Николаева.

— Я скажу заведующей отделением, чтобы она ему об этом сообщила. Вам помочь дойти до туалета и ванной?

— Да. Донесите меня на носилках.

— Федор Головня, у нас скромная клиника, мало обслуживающего персонала, поэтому вам придется передвигаться самому. Не вижу особых проблем. Сейчас санитарка принесет вам костыли.

— Да, будьте любезны! — с воодушевлением воскликнул Коля. — Дайте мне костыли, постелите мне степь, занавесьте мне окна туманом и закажите приличный обед из ресторана. Бурду я не ем. Да, а кто такой Федор Головня?

Валентина Ивановна внимательно посмотрела на него.

— Мне нравится ваше состояние. Оно соответствует диагнозу, с которым вы сюда поступили. Спутанное сознание, тяжелая депрессия, белая горячка в неострой стадии.

— Ну, какой идиот! — воскликнул Коля.

— Не огорчайтесь, такого диагноза у вас нет. Пока.

— Зато есть у него. Я требую, чтобы меня срочно связали с Андреем Николаевым.

— Вы уже говорили. Это не в моей компетенции. Я передам.

Валентина Ивановна тихо вышла, вскоре вошла круглолицая девушка в голубом халатике и с костылями в руках.

— Здрасьте. — Она с интересом уставилась на Колю. — Это вам. Вы умеете ими пользоваться?

— Нет! Покажите. Хотя не стоит, на себе не показывают. Давайте эти приборы, я сам сображу. Как вас зовут?

— Таня.

— Танечка, будьте добры, идите впереди, как путеводная звезда.

Они вышли паровозиком в коридор, Коля осмотрелся и ахнул:

— Блин! Я такого ядовито-зеленого цвета стен даже вообразить не мог. А я ведь сначала не поверил, что это дурка.

— Не поверил, — фыркнула Таня. — Посмотрите, вон там Костин стоит у окна. Опять себе глаз вставляет. Ему кажется, что у него глаза выпадают, и он их обратно заталкивает. Реально может выдавить совсем. Вот я вам открываю ваши туалет и ванную, ключ второй потом у вас будет — вы вроде вип-пациент, — а я пойду Костину руки свяжу.

— Я в восторге! То есть у вас тоже будет ключ от моего вип-туалета? И вы еще нас тут связываете: то есть садомазо в натуре, да?

— Вы такой чудной, — засмеялась Таня. — Нам так и сказали: за ним надо все время присматривать, ваши шизики перед ним — просто дети.

— Узнаю стиль моего командира. Пока, Таня. Надеюсь, вы меня встретите у входа.

Коля помылся кое-как в не такой уж страшной ванне. Таня действительно его ждала.

— Дойдете до палаты? А я вам обед принесу.

— Что у нас на обед?

— Суп рыбный и котлета с пюре. Компот еще.

Коля поел, с удивлением отметил, что чувство голода прошло, хотя у этого «обеда» вкуса еды точно не было. Он полежал, подумал, глядя в белый потолок со светильником в металлической решетке. Какая прелесть. Это чтобы он не прыгнул на лампочку и не разбил ее. Собственно, о чем думать в таких условиях, этот процесс здесь не уместен, — решил Коля и устроился поспать. И тут перед его кроватью появился Андрей Николаев.

— Привет, — деловито сказал он. — Как тебе тут?

— Кайф. Если ты спрашиваешь у Федора Головни.

— Конечно. Хорошо, что ты запомнил. Я потому и приехал, чтобы тебя проинструктировать. Как голова, нога?

— Андрей, — проникновенно сказал Коля. — Мы были в боях. Но даже не догадывались, что пули вынимают в психушках.

— Ничего страшного, — сказал Николаев. — Вынимал хирург, причем хороший. Тебе здесь понравится.

— Уже нравится. А что дальше?

— По обстановке. Отчитываться по деньгам буду регулярно. В письменном виде. Ты миллионер, Колян, по ходу.

— Неужели забрали бабки Костика?

— Само собой. — Николаев озабоченно нахмурился. — У нас много расходов. Все только начинается.

— Да ты что! Я думал наоборот. Слушай, когда мне говорят, что все начинается, покой нам только снится, я сразу хочу спать. Извини, просто помираю.

— Спи сколько влезет, — великодушно разрешил Николаев. — Я лишь один вопрос хотел решить. Марина сейчас сам знаешь где. Ее семья осталась без кормилицы. Муж безработный, ребенок, все такое... Ты не против, если...

— О чем ты говоришь. Конечно, дай им денег.

— Да, я ему карту заведу, положу... прикину сколько, тоже включу в отчет.

— А как Марина?

— Хорошо. Спи. Вот телефон, там только один контакт — мой. Можешь звонить.

Николаев вышел из палаты, твердым шагом прошел по ядовито-зеленому коридору, стараясь не думать о том, почему он не сказал Коле, как Марина за него переживает.

ЧАСТЬ ТРЕТЬЯ

Глава 1

— Вот тебе бумага и ручка, Уголовный кодекс положить? — Никто из присутствующих никогда не видел Славу Земцова, заведующего отделом по расследованию убийств, в таком бешенстве. — Пиши явку с повинной! Ты отсюда по-любому не выйдешь. Опоздал я тебя вовремя лицензии лишить. Хренов частный детектив! В каждой бочке затычка! Больной на всю голову придурок!

— Как ты все сразу, Слава, — виновато говорил Сергей Кольцов. — И мое профессиональное достоинство — на помойку, и голову покаянную окончательно сносишь. Я напишу, какие проблемы? Я даже с удовольствием посижу, пока ты в этом деле будешь разбираться. Устал я, Слава, на самом деле. На твое понимание особенно не рассчитывал, но если не ты, то кто же... Теперь ясно, что другой казенный следователь меня бы пристрелил на месте. И положил бы конец преступности.

— Минуточку, Слава, — вмешался Александр Васильевич Масленников. — Ты в силу собственных пристрастий стрелки перевел. Это я напишу заявление о явке с повинной. Идея моя, труп бесхозный я предоставил для опознания... Я даже особые приметы собственноручно рисовал. Я же их и смывал. Но, конечно, мы с Кольцовым действовали в согласии, нарушая закон, который, по твоему авторитетному мнению, должен работать на заказчика убийства. Остановить его не было никакой возможности. Разве что убить. Но это тебе тоже вряд ли показалось бы законопослушным действием. К тому же мы оборвали бы преступную цепь, то есть сыграли бы на руку криминалу. Я, как и Сергей, с удовольствием посижу у тебя за то, что девушка жива и в безопасности. А те дела, по которым я еще не сделал тебе экспертизу... Ну, какие проблемы. Найдешь другого эксперта. Нас как собак нерезаных.

— Вы меня шантажируете? — задохнулся Слава. — От вас не ожидал, Александр Васильевич. Вот уж точно: с кем поведешься, от того и наберешься. Я вообще слушал этот бред, как в страшном сне. Я не сплю? Ущипните меня!

— Слава, — смущенно посмотрел Кольцов, — зачем ты так...

— А ты вообще заткнись, дебил. Ты — подследственный. Ты мне не друг больше. Так подставить... Так подставить! Да если кто-то узнает, представляете, что будет?!

— Если бежать по улице и кричать: «Знаете, как меня подставили», наверняка кто-то узнает, — заметил Сергей. — Если это проорать на видеокамеру и выложить в Ютубе, успех будет вообще феноменальный. А если действовать по-нормальному, можно одно или несколько дел спокойно открыть, расследовать, остаться в живых и при погонах.

— Идите отсюда, пожалуйста, оба. Видеть вас не могу. Подумаю, позвоню. Или не позвоню. Пришлю наряд за вами обоими, раз вам так хочется стать узниками совести. Все. Валите.

Кольцов и Масленников вышли во двор, молча закурили.

— Я, конечно, не ожидал, что будет легко, — наконец задумчиво сказал Сергей. — Никогда еще Штирлиц не был так близок к провалу. Александр Васильевич, мы не совершили страшной ошибки, рассказав все этому психопату? Если он пошлет наряд только за нами, то хрен бы с ним. Но он получил от нас такую информацию! Если в своем раже законника он привлечет Марину, Кузнецова и Петрова, то крыша последнего сметет всех взрывной волной. Славу, возможно, тоже, но это мне уже не кажется большой потерей для человечества.

— Ладно. Не обижайся на него. Его положение действительно трудное. Мы идем на ряд авантюр, а потом обращаемся к серьезному следователю, чтобы он наши художества легализовал, придал им видимость законных действий...

— Наши художества его абсолютно не касаются. Поскольку все страницы истории, к которым приложил руку Николаев, всегда съедает беспощадный вирус. Нет никаких художеств. Ничего не нужно легализовать. Земцов получил информацию о криминальной сделке, свидетелей которой убирают, бухгалтер случайно осталась в живых и может дать показания. Есть разовый киллер, который не вышел из игры, потому что захотел спасти девушку: он тоже случайно уцелел и может дать показания. Есть семья Романовой, которая реально будет в опасности, если Петров узнает, что Марина жива. И, наконец, есть труп другой девушки, жестоко убитой, которую никто не ищет, скорее всего, потому, что считают ее живой. Мы с вами решили, что это преступление должно быть расследовано.

— Да, ты все изложил точно. Пожалуй, я сейчас вернусь и продолжу разговор со Славой. Все слишком далеко зашло, и, если на этом этапе в ситуацию не вмешается официальное следствие, получится, что мы людей не спасли, а обрекли на мучения и в конечном итоге — криминальную расправу. И, чтобы дать разрешение захоронить невостребованный труп, хотелось бы прежде удостовериться, что это не Виктория Князева. Которую то ли ищет, то ли, наоборот, не ищет твоя странная клиентка. Тут тоже требуется официальное и осторожное следствие. Так что я возвращаюсь, а ты не ходи, пожалуйста. Что-то в тебе есть, что сильно раздражает Земцова. — Масленников внимательно посмотрел на Сергея. Тот с готовностью ответил ему преданным взглядом чистых голубых глаз. — Да, — вздохнул Масленников. — Честного служаку не может не раздражать такой фраер и позер.

— Если Слава у нас такой нежный, что с ним будет, когда мы ему предъявим Николаева!

— Нет! Только в случае крайней необходимости и в микроскопических дозах. Если их оставить наедине хотя бы на полчаса, Николаев сорвется с цепи и будет взрывать все поезда и небоскребы, а Слава пострижется в монахи.

— Какой грустный может получиться финал, — закручинился Сергей. — Но что-то в этом есть, да?

— Ладно. Я пошел. Имей в виду: твой клиент Кузнецов — наша козырная карта. Если Земцов захочет, он сядет. Славу вдохновит только такая перспектива.

— Коля сядет, он такой, — пожал плечами Сергей, — но только в том случае, если мы будем уверены, что он нечаянно не повесится в камере на своем ремне. Вы понимаете, о чем я. Пусть он сначала посадит кого-то другого, наш Земцов.

...Масленников вошел в кабинет Славы спокойно, медленно, неотвратимо. Земцову казалось, что эксперт надвигается на него, как большая неприятность. Он смотрел на Александра Васильевича с несчастным видом.

— Слава, — сказал Масленников, — я — серьезный человек, моя жизнь подчинена закону, и ты это прекрасно знаешь. Иначе нам нельзя. Но если возникает ситуация, в которой закон может гарантировать только возмездие по факту убийства — в лучшем случае, я за то, чтобы его опередить. Ты понимаешь? Ты знаешь дело, когда вы все выслеживали и ловили с поличным подпольного акушера-убийцу. И вы его взяли. Поличным оказалась горстка пепла, оставшаяся от молодой прекрасной женщины. Я совершенно случайно узнал о том, что заказано убийство Марины Романовой. Узнал от Сергея, куда ж без него? Так уж получилось, что не официальные органы, а частный детектив в состоянии мониторить криминальный рынок. Взять заказчика — не на чем. На туфту с фотошопом он бы не повелся. Даже если бы тебе удалось его задержать за что-то на какое-то время, Марину все равно бы убили, равно как и самого заказчика, полагаю. Над ним стоит некто более могущественный, и нам об этой фигуре ничего не известно. Помоги нам разрулить эту ситуацию. Живая женщина, которая значится похороненной, должна вернуться к семье, ребенку. Любой из нас — я, Серега, его клиент Кузнецов, неудавшийся киллер — готовы предстать перед судом за подлог. Этот подлог с безымянным трупом спас женщину, мать, жену, прекрасного человека! Да что я объясняю, е...

— Не ругайтесь, вам не идет. Вы ж не шпана, как Кольцов, — устало сказал Земцов. — И не делайте из меня идиота. С чего, по-вашему, здесь можно начать?

— Я думал об этом. Дело, заведенное по факту убийства Марины Романовой, бухгалтера корпорации «Просвет», — изначально липовое, — плавно движется к архиву. Скоро появится медицинское заключение о том, что маньяк-убийца не выйдет из комы. Дело по факту гибели Виктора Леонтьева, заместителя президента корпорации «Просвет», уже на полке с выводом — несчастный случай. Инициировать свое расследование ты пока не можешь: погасят тут же. Раскрывать подлог, объявлять Романову живой сейчас рано. Но мы можем подключаться к тем уже открытым-закрытым делам, что-то в них искать... В каждой липе есть крошки истины. Бог в деталях. И у нас есть другое убийство — той девушки, которая уже после своей смерти спасла жизнь Романовой. Лично я это расследование воспринимаю как дело чести. Серега — тоже. Это было моим условием участия, кстати. И вовсе не исключено, что эти дела можно объединить. Кто-то выехал из России по документам Виктории Князевой... Серега...

— Можно мы объявим два дня запрета на имя Серега? — только и сумел сказать Земцов, чувствуя, что он попал, как никогда в жизни.

Глава 2

Александр Романов, муж Марины, вышел из электрички: он провел день с сыном и матерью. Он пытался вспомнить, было ли ему когда-нибудь так грустно. Была большая беда с крахом в бизнесе, предательством бывших товарищей.

Было реально страшно. Но он понимал, что надо как-то выжить, потому что у него есть родные люди. Маришка, Артем, мама... Сейчас он, как отец-одиночка, навестил ребенка и не знал, что ему сказать. С мамой даже находиться в одной комнате не мог. Он ей, конечно, сказал, что Марина жива, скрывается, кто-то ее таким образом спас от гибели. Они даже иногда говорят по чужому телефону: к нему приезжает человек по имени Андрей Николаев, дает какой-то мобильный, соединяет с Мариной... Ну, что в таких обстоятельствах можно узнать? Как ответить маме хотя бы на один ее вопрос? Например, какие деньги он сегодня привез. Николаев оформил на него банковскую карту, сказал, что деньги на нее положила Марина. Большую сумму! Откуда она у нее? История настолько таинственная, невероятная и унизительная для Александра, что ему стыдно смотреть в глаза близким, ему не хочется сейчас ехать домой. Какой это дом... Карточный домик. Он говорит с Мариной как с чужим человеком, о котором ему ничего не известно. Получается, что его потребность в семье держалась только на уверенности в Марине. Нет этой уверенности — нет и потребности в семье. Он чувствует себя страшно одиноким, никому не нужным. Надо бы работу поискать, но как это сделать, если ты сам с собой в полном разладе.

Он доехал до своей станции метро, вышел на улицу, дошел до перехода, остановился...

А почему он, собственно, приехал? Почему не остался ночевать на даче? Потому что там ему тоже плохо, захотелось побыть одному. А теперь он понимает, что ему остается или напиться до поросячьего визга, или удавиться в пустой квартире. Ему даже неохота ноги передвигать, чтобы преодолеть оставшиеся метры...

— Молодой человек, вас подвезти?

Рядом с Александром остановилась серебристая «Тойота», из которой ему улыбалась Надя, бывшая одноклассница.

Он улыбнулся в ответ, сел рядом с ней и почувствовал облегчение. Пусть несколько минут, но он отдохнет от самоистязания. Надя — позитивный, коммуникабельный человек. У них всегда были отличные отношения. Она бывала у них дома и после его женитьбы. Сама почему-то замуж не вышла, хотя была самой симпатичной девочкой в их классе. Они приехали к его дому слишком быстро. Александру очень не хотелось выходить из машины.

— Слушай, — осенило его, — может, зайдешь ко мне на полчасика? Чаю там выпьем, кофе... Бутылка вина хорошего есть.

— Не надейся, что откажусь, — рассмеялась Надя. — Мне как раз домой ужасно не хотелось возвращаться. У меня родители на даче.

— У тебя тоже? Надо же. Как в школе. Помнишь, мы как-то у меня собирались. Занятия уже начались, предки поехали на выходные что-то там доделывать, закрывать, а мы тогда первый раз вино купили.

— Да, хорошо было. В бутылочку играли, как дурачки. Ты один раз на меня попал. Ты меня обслюнявил.

— Ага. Я не умел целоваться. Марина научила.

Надя быстро взглянула на него, он отвел глаза. Она не знала, как выразить сочувствие его горю, он скрывал, что этого горя нет. Есть другое — пустота.

Они вошли в квартиру, Александр извинился за то, что не убирал, все заставить себя не мог.

— Да ты что! — удивилась Надя. — Тут же стерильно, как в операционной. Во всяком случае, по сравнению с моей квартирой, когда мамы нет.

Они смеялись, как когда-то, вспоминали забавные случаи, ели, пили вино. Потом помолчали. Вдруг Надя посмотрела на него внимательно и сказала:

— Вот сейчас ты такой, как всегда был. А когда я увидела тебя на дороге... Честно, испугалась даже. Измученный, осунувшийся, постаревший, что ли... Саша, тебе плохо? Хочешь, мы поговорим об этом? Должно помочь.

— Не знаю даже, о чем говорить. Ты же все знаешь, наверное, здесь все всё знают.

— Говорят, Марину убил какой-то знакомый?

— Какой еще знакомый...

— Ну, ты не можешь не знать. Ваша консьержка, к примеру, показания как свидетель давала, что Марину провожал какой-то мужчина. Я слышала, будто он даже до квартиры ее довел.

— Ой, эти сплетни. На Марину однажды напали хулиганы, прохожий ее отбил, довел действительно до квартиры...

— Саша, почему ты не хочешь мне правду сказать? Ведь известно, что Марину убил маньяк. Он ее преследовал... Ты как-то странно реагируешь. Как будто я хочу ее в чем-то опорочить. Она же не знала, что общается с маньяком. Мне очень жаль ее... и тебя.

— Я верю, Надя. Маньяк — не маньяк ну, какая теперь разница, зачем все это бередить...

— Вижу, ты хочешь заморозить себя в своем горе... Ты похож на человека, для которого все кончено. — Голос Нади зазвучал очень звонко, глаза ее странно блестели — не от вина, а как будто в них накопились слезы, которые никак не могут пролиться. — Тебе хочется думать, что Марина — святая... Конечно, она была очень хорошая и красивая... Только я, Саша, во время всей вашей совместной жизни глаз от вас не отводила. Я видела, как вы целуетесь под дубом у забора, как ты бегаешь к воротам по вечерам — смотреть, не идет ли она... И я видела, как она под тем же дубом целовалась с высоким симпатичным мужчиной. Наверное, это и был маньяк, потому что ее убили через несколько дней. Ну вот, я все и сказала. Чувствую себя полной скотиной. А теперь прогони меня. Потому что весело нам уже не будет. Раньше я тебе была просто безразлична, а теперь ты меня, наверное, возненавидел.

...Он не прогнал ее. И не возненавидел. Он понял, что пришло спасение: верная женщина, о любви которой он всегда догадывался, просто она ему раньше была не нужна. А теперь... Надя считает его безутешным вдовцом. А его предали, обманули. Может, кто-то и хотел убить Марину, кто-то ее спас, но она где-то там с любовником, не иначе. Целовались под их дубом! Вот в чем дело! Вот что терзает его и мешает дышать.

— Мне очень хорошо с тобой, — сказал Александр Наде на рассвете. Тут-то наконец и пролились ее слезы, сквозь которые она столько лет смотрела на него издалека.

Глава 3

Сергей Кольцов просмотрел профиль Виктории Князевой на Фейсбуке. Она однозначно не из тех женщин, которые живут так, как будто смысл всех событий в ее жизни — поведать о них Всемирной паутине. Очень сдержанные сообщения, ничего об интересах, немного друзей. Фотографии... Интересно. Фотографии по стилю не такие, как на мейле и ВКонтакте. Эта девушка — неплохой постановщик собственного образа. Фейсбук — более респектабельный и социально однородный ресурс, насколько это сейчас возможно. Виктория Петровна Князева здесь — изысканный, строгий образ с изюминкой, которая просто вопит: «Я — самая главная! Я тот омут, в котором черти водятся!» Элегантные костюмы, серьезное выражение лица — прямо секретарша из фильма «Секретарша». В списке друзей — в основном сотрудницы ее НИИ. Была она в последний раз на своей страничке достаточно давно. Но ее появления здесь вообще редки.

Он поискал Петра Князева. Да, вот и отец собственной персоной. Он разместил фото дочери Виктории, когда та была совсем юной, лет восемнадцать, видимо. Прелестная девушка в пестром летнем сарафане с пушистым ореолом золотистых волос, с лицом, в котором нежность возраста сочетается с... Как бы определить это выражение? Мама-учительница без устали подсовывала Сергею жемчужины литературы. Какие-то образы врезались в память навсегда. Вот такой, как Виктория, Сергей себе представлял героиню «Легкого дыхания» Бунина. Невинность и врожденная опытность, женственность и жесткий выбор того, что нужно брать... Героине Бунина не хватило инстинкта самосохранения. Поэтому отбрасываем эти ассоциации. Сергей пока просто пытался получить информацию о том, где сейчас Виктория Князева. Жена Петра Князева Вера на фото лет на десять старше Виктории, какой та была подростком, что означает — сейчас они практически сверстницы. Примерно так и сказала Ольга Волкова. У них несчастье — потеряли ребенка. Понятно, почему Петр ничего не добавляет в свою хронику.

Друзей у него немного. Но, судя по комментариям, они общаются довольно тесно. Есть такая запись: «Ребята, звонить некогда, встречаемся у меня, как договорились». Внешность и стиль общения у него — бизнесмена средней руки, человека достаточно простого, очень занятого.

Имена друзей перекочевали в записи Сергея. Люди достаточно открытые, поскольку у некоторых указаны мобильные телефоны, почти у всех указано место работы. Вот этот, правда, явно свободный художник. Семен Курочкин. Сообщений у него полно, в основном в рабочее время, отовсюду стаскивает смешные истории, ссылки на всякую ерунду. Когда у кого-то дни рождения, другие события, поздравляет первым, намекает на подарки, явно дает понять: без меня не получится. Сладкий клиент вообще-то. Забавно: вот он приглашает друзей к себе и выкладывает в открытом доступе адрес, объясняя, как проехать. Как сказал бы Остап Бендер, «может, вам нужен ключ от квартиры, где деньги лежат?». Примерно так. За родную компанию голову буйну сложит. Ну, раз зовет, зайдем.

Сергей вошел в подъезд старого, недавно отремонтированного дома на Ленинградском проспекте, показал консьержке удостоверение издалека, сказал: «Я из газеты». Она явно привыкла к популярности этого жильца, равнодушно махнула в сторону лифта: «Курочкин на третьем. Тридцать первая квартира».

Звонок у него закукарекал, чего и следовало ожидать. Тяжелую дверь сразу открыл плотный мужчина, а если точнее, то просто квадратный: такая фигура. Широкое лицо, бурый ежик волос, глаза с голодным выражением вечного зеваки. То есть явно сидит и ждет: когда к нему придут, когда ему что-то покажут, пока наконец что-то начнется...

— Извините, что я без звонка, Семен Викторович. — Сергей улыбнулся профессионально-приветливо, как человек, для которого общение — это профессия. — Я — корреспондент одного глянцевого журнала, точнее, его еще нет, мы готовим первые номера... Мне порекомендовали поговорить с вами... Можно я войду? Да, меня зовут Сергей Кольцов.

Курочкин даже всхлипнул от восторга и завилял толстым задом, как очень ласковый и глупый пес.

— Заходи, Сережа, конечно. Новый журнал — это так интересно. От старых уже всех тошнит.

Они прошли через просторную прихожую, заваленную черт знает чем, оказались в большой гостиной, она тоже отличалась обилием предметов, не имеющих конкретного значения, и массой «прикольных» табличек, плакатов, фото и рисунков, типа котелок на голой заднице, что должно было расшифровывать фразу: «Без штанов, но в шляпе», или просто вопросы в лоб: «А че?» — и ответы: «А ни фига!»

— Как симпатично, — одобрил все Сергей и сел на диван перед журнальным столом, на котором ноутбук тонул в ворохе периодики. — Я так понял, можно на «ты»?

— Конечно, — сказал Сеня. — Мы вообще-то коллеги. Я продаю разным изданиям забавные штучки-дрючки. Так что ты по адресу. А кто меня порекомендовал?

Сергей отметил удобную форму вопроса: Сеня не спросил, по какому поводу его рекомендовали. Он уверен, что сгодится по любому поводу.

— Кто-то из наших, я даже точно не помню. Я прошу всех, чтобы мне подыскивали людей для внештатного сотрудничества. Вот то, что ты называешь «штучки-дрючки». Посмотрел на Фейсбуке твои ссылки, смеялся от души.

— Правда? — Сеня просиял. — Слушай, виски выпьешь?

— Буду благодарен. — Сергей принял широкий стакан с виски, отпил глоток, судорожно соображая, как ему ограничить общение нужной тематикой.

— Сеня, мне надо один репортаж сделать. Я тебе сразу скажу, какая у меня идея. Ты понимаешь, на звезд, которые у всех на слуху и не погаснут никак, уже нормального читателя не поймаешь. С кем развелись, свелись, кого родили, где разделись... Я хочу сделать такую рубрику — «В кругу друзей». Там реально интересные люди, типа тебя, рассказывают реально интересные истории о своих знакомых. Может, снимки дают... Понимаешь, какой это простор...

— Понимаю, Сережа! — Глаза Курочкина сверкали. — Мои друзья от меня в постоянном отпаде. Я всегда что-то придумаю, я такое могу написать... «Пятьдесят оттенков серого» просто отдыхают в пыльном углу.

— Обязательно, Сеня. Я просмотрел твоих друзей. Там есть такой мужик приятный — Петр Князев. Дочка у него — я просто обалдел.

— Сережа, ты гений! С твоей интуицией... может получиться бомба. Потому что именно с этими Князевыми я и проделал самый интересный финт ушами. Сейчас покажу тебе видео. Правда, Петька этот попер как баран на меня. У него нет чувства юмора ни капли...

После просмотра шедевра Курочкина Сергей быстро стал собираться. Ему вручили копию. Прощаясь с радушным хозяином, Кольцов смотрел на оного с чувством усталого удивления.

— Слушай, Сеня, а как это тебе удалось? В разных спальнях видео установить? Где ты взял такую технику?

— Если честно, это был заказ. Ко мне пришел человек, вот как ты. Вроде мы пару раз встречались у них дома. Ну, он тоже сказал, что на Вику запал... И говорит, над Петькой хочу пошутить. Дал мне эти камеры, они очень удобные оказались. Цепляются просто. Как в кино про шпионов. Я установил. Когда все напились, чего тут особенного. Потом так же взял.

— Человеку отдал? Он рассчитался?

— Конечно. Это порядочный человек. Я себе копию оставил.

— А как фамилия, имя? Мне кажется, я знаю, о ком ты говоришь.

— Э–э–э! Ты, старичок, со мной как с лохом. Я в приватных делах — могила.

— Жаль. То есть молодец. Спасибо. До созвона.

В машине Сергей сунул диск в портфель с материалами. Думал он при этом лишь об одном. «Если женюсь, не дай бог, если будет у меня дочь — первым делом уничтожу аккаунты в социальных сетях, выброшу компьютер и посажу Курочкина».

Глава 4

Слава Земцов все утро изучал запрошенное из архива дело по факту гибели Виктора Леонтьева, заместителя президента корпорации «Просвет». Интересные дела списываются в архив. Такого–то числа на счет фирмы поступает огромная сумма, на следующий день кто–то взрывает одного из участников сделки. Вывод следствия: хулиганы ошиблись. Несчастный случай. Поскольку нет мотива, невозможно найти преступников. И где теперь тот автомобиль... И где экспертиза? Этот фиговый листочек экспертизой никак не назовешь. Опрошены жена и сослуживцы. Леонтьев был человеком скромным, деликатным, врагов не имел. Жена говорит, что настроение у него было обычное. Так. Адрес. Слава посмотрел домашний телефон, позвонил и услышал:

— Леонтьевы тут больше не живут. Мы у них квартиру купили. Не знаю, куда переехали.

Слава навел справки, получил адрес, по которому теперь живет вдова Леонтьева с дочерью и сыном. Интересно. После такого несчастья неработающая вдова очень быстро продает маленькую трехкомнатную квартиру в шестнадцатиэтажном доме непрестижного района и тут же покупает большие, дорогущие хоромы в элитном доме на Остоженке. Взорвался Виктор Леонтьев в черном «Опеле» не первой молодости, который был на тот момент единственной машиной семьи. Сейчас за Марией Леонтьевой числится «Астон Мартин». Старшая дочь Ульяна работала менеджером в нескольких зарубежных фирмах, последняя фирма-дистрибьютор одежды из Германии, которая распространяется по каталогам и сайтам. Вряд ли там платят миллионы. Сын Анатолий — безработный.

Слава набрал новый домашний телефон вдовы Леонтьева. Ответил женский голос.

— Добрый день. Я могу поговорить с Марией Дмитриевной Леонтьевой?

— Я вас слушаю.

— Меня зовут Вячеслав Михайлович Земцов. Я руководитель отдела по расследованию убийств. Сейчас мы работаем по одному делу, запросили из архива ряд материалов. В том числе дело по факту гибели вашего мужа.

— Я не поняла, какое отношение гибель моего мужа имеет к какому-то убийству. Виктор погиб вследствие несчастного случая. Разве вы не прочитали?

— Прочитал. Мария Дмитриевна, вы не волнуйтесь. Расследование любого преступления требует полноты картины, так сказать. Мы просматриваем материалы, большинство из которых не имеет отношения к тому, что мы ищем. Просто таким образом получаем разностороннюю информацию.

— Это общие слова. Они мне ни о чем не говорят. О каком преступлении идет речь? При чем здесь мой муж?

— Мария Дмитриевна, я не могу вам рассказать о расследуемом преступлении. Это тайна следствия. И не обязан объяснять, почему считаю целесообразным побеседовать с вами. Общая картина создается из множества деталей, сообщенных разными людьми. Вы можете, конечно, отказаться разговаривать со мной. Но вообще-то хотелось бы, чтобы вы согласились на беседу. Гражданский долг, так сказать.

— Вы собираетесь вызвать меня по повестке?

— Что вы! Никаких оснований для этого у меня нет. Мы не могли бы пообщаться неформально?

— Хорошо. Приезжайте.

Квартира оказалась роскошной, изысканно, чуть мрачновато обставленной. Ее хозяйка явно была женщиной на миллион долларов. Это понимал даже Слава, который в этом ничего не понимал. Но женщина в простом темном домашнем платье, ненакрашенная, не скрывающая своего возраста, смотрелась королевой, точнее Слава выразить бы свое ощущение не мог. Мария провела его в гостиную, показала на широкое кресло из мягкой темно-бордовой кожи, села на краешек стула напротив, явно давая понять гостю, что он здесь не задержится. Слава не мог отвести взгляда от огромного портрета, стилизованного под средневековую живопись. На нем эта женщина была молодой, печальной и отрешенной — огромные черные глаза, беспомощно сложенные на коленях руки с тонкими, длинными пальцами...

— Это не я, — сказала Мария. — Это моя дочь Ульяна.

— Вы очень похожи. Какой прекрасный портрет.

— Да, это хороший художник написал.

— Ваша дочь, наверное, сейчас на работе?

— Ее нет в Москве. Она отдыхает.

— Отпуск?

— Я не знаю. Моя дочь давно взрослая. Если она устает от работы, то, случается, просто бросает ее.

— Здорово. Я даже позавидовал.

— Но вы же не о ней пришли поговорить?

— Конечно, нет. Просто обратил внимание на портрет. Мария Дмитриевна, я понял по телефону, что вы не хотите возвращаться к истории с мужем. И все же прошу мне кое-что объяснить. Вы требовали, чтобы следствие провело полное изучение обстоятельств гибели вашего мужа?

— Разве провели не полное изучение?

— Разумеется, нет, и вы это прекрасно знаете. Извините, я должен вас предупредить о неразглашении содержания нашего разговора.

— Да, я поняла. Тайна следствия. Вы считаете, что это был не несчастный случай?

— А вам не приходили в голову другие версии?

— Моего мужа не за что было убивать. Поэтому меня выводы следствия устроили.

— Вы не слышали о том, что еще одна сотрудница фирмы «Просвет» недавно трагически погибла?

— Нет. А что случилось?

— Ее убили. По версии следствия — маньяк.

— Вы это дело расследуете?

— Нет. Это дело тоже будет списано в архив. Маньяк сейчас лежит в коме.

— Так в чем же дело?

— Я предупредил вас, что не смогу ответить на ваши вопросы. Но то, что я вам сейчас сказал, вас не смущает?

— Меня это не касается.

— Вы в этом уверены? Я объясню, что имею в виду. Если бы вы, например, допустили, что появились новые обстоятельства гибели вашего мужа, мы могли бы по ним открыть вновь это дело.

— Убийство маньяком женщины из фирмы Виктора не имеет никакого отношения к его гибели. Вячеслав Михайлович, мой муж умер. Мы это пережили, и у меня нет никакого желания переживать это несчастье вновь. И я не вижу никаких новых обстоятельств.

— Я понял. Вы быстро переехали сюда после гибели мужа... Хотели сменить обстановку?

— Можно и так сказать. — Мария прямо и вызывающе посмотрела на него. — У нас имелись сбережения. Если вы будете проверять наши счета... Скажу сразу: мы держали деньги дома. Муж не доверял банкам.

Слава невозмутимо кивнул и поднялся.

— Разрешите откланяться. Извините за доставленное беспокойство и за то, которое, возможно, мне еще придется вам доставить. Повторяю: мы на таком этапе расследования, что действуем практически вслепую. Любая деталь может быть нам полезна.

— Хорошо. Только, будьте любезны, в следующий раз поточнее указывайте, какую именно деталь вы ищете. А то получается, что вы ищете вслепую, а я вслепую вам отвечаю.

— Да, конечно.

Слава попрощался и вышел. Мария долго стояла и смотрела черными, сухими глазами на закрывшуюся за ним дверь. Она хотела только спрятаться. Кажется, не получилось.

...Когда Масленников вошел в кабинет Земцова, тот ему почти обрадовался.

— Я вас жду. Был у вдовы Леонтьева. Шикарная женщина, шикарная квартира, шикарный автомобиль. Переехали в эту квартиру сразу после гибели мужа. Говорит, что сбережения дома держали. Никто не работает. Старшая дочь Ульяна, двадцать шесть лет, две недели назад уволилась из фирмы, где трудилась менеджером (я только что проверил), и куда-то уехала отдыхать. Девочки продолжают все прозванивать, но пока результат нулевой: Ульяна Леонтьева билет ни по России, ни в другие страны не покупала ни на самолет, ни на поезд.

— Может, с кем-то уехала на автомобиле?

— Возможно... Но где-то же автомобиль должен был остановиться.

— Мать не сказала, куда поехала дочь?

— Мать не просто не желает ничего говорить. Она что-то скрывает. Точнее, многое.

Глава 5

Если бы у Коли не так болела нога, он бы бросился к Сергею с объятиями.

— Ну, наконец-то ты пришел. Скажи: вы меня сюда не пожизненно упекли? Чтобы украсть мои честно заработанные два миллиона?

Сергей молча подошел к кровати, пожал Коле руку, похлопал его по плечу, сел на стул и участливо спросил:

— То есть, как я понимаю, обстановка данного лечебного учреждения делает свое дело? Знаменитый клинический эффект, да?

— Клинический — не то слово. Здесь не хватает только Николаева.

— Ты зря его поминаешь к ночи. Если он решит разыграть здесь гибель Помпеи, ты на костылях далеко не убежишь. А вообще я пришел к тебе, чтобы сказать: все в порядке. Марина в Болгарии, в доме Николаева, ты в коме. Вас обоих практически похоронили, дело пойдет в архив.

— Слушай, я от Андрея балдею. Так подсуетиться: Марину — к себе, меня — сюда. Ты ничего подозрительного в этом не находишь?

— Ничего такого, что пытаешься от безделья найти ты. Если не считать экстравагантности исполнения, то он действовал по обстановке и безошибочно.

— Хорошо. Успокоил. А меня нельзя туда — к Марине? — Коля смотрел на Сергея жалобно и с надеждой.

— Пока нет. Каким образом?

— Может, таким же? Вы найдете подходящий труп...

— Напишем на нем печатными буквами «Коля Кузнецов», и это еще раз прокатит. Нет, старик, два раза один и тот же фокус показывают только в цирке. Слушай, успокойся. Тем более тут так мило, зеленые стены, лампочка в клетке, всякие антидепрессанты... Спи себе и мечтай.

— Как долго? Пока Костик Петров не умрет от старости?

— Коля, мы работаем. И достаточно напряженно. Подключилось официальное следствие... Сразу тебе скажу: как только исчезнет опасность для твоей жизни, тебя могут привлечь... пока не знаю за что, ну, скажем, за недонесение, преступный сговор, как ляжет у следователя. Но ты не переживай: нас с экспертом тоже могут привлечь за подлог трупа, недонесение, далее по тексту.

— Такая перспектива? Отлично. Вы действительно напряженно работаете. Думаю, нам вместе будет нескучно на рудниках.

— Но ты пока не бери это в голову. Мы же не берем. Сердце следователя склонно к измене и перемене... Кстати, я выполнил твое поручение. Нашел этого пацана с собакой, которому ты просил деньги передать. Деньги передал, сказал, что нашел их в твоей квартире в конверте с надписью «Егору» после того, как тебя, бездыханного, увезли неизвестно куда. Хороший, говоришь, мальчик?

— Да, а что? И собака очень хорошая.

— Собака замечательная. Коля, я скажу тебе, поскольку жизненного опыта набираться никогда не поздно. Этот пацан — главный свидетель обвинения. Ну, в том деле, которое курирует Петров. Охранник «Просвета» показал, что мальчишка с собакой отвлекал его внимание, когда ты проник в офис за Мариной. Ты проникал?

— Проникал.

— Ну вот. Поскольку парень рядом живет, его быстро нашли. И он показал, что ты давал ему деньги за то, чтобы он следил за Мариной, что ты сам следил за ней и приходил каждый день. А в тот вечер, когда ты ему велел отвлекать внимание охранника, ты просто потащил

Марину в такси, на ней была разорвана одежда. Он считает или даже видел, что это твоих рук дело.

— Не может быть, чтобы он так сказал!

— Вот и я, прочитав это до встречи с ним, решил: не может быть, чтобы чудесный пацан, к которому ты так привязался, это сказал. В этом деле много сказок венского леса. Я с ним поговорил, просто из любопытства. Прямо сказал, что ты, мол, уже ничего не узнаешь, а я ему конверт с деньгами отдам, если он мне правду изложит. Он и сказал без колебаний. Что ты на самом деле приходил за Мариной, просил его присматривать, не встречает ли ее кто-то другой. Что он сам тебе позвонил, когда она не вышла с работы.

— Все верно.

— А дальше так. Ты попросил его отвлечь внимание охранника, сам бросился спасать Марину, которую кто-то не отпускал. Этот кто-то и порвал на ней одежду, как он понял. Сообразительный хлопчик. Но... ему дали пятьсот рублей, и он показал, что это точно ты на нее набросился, пока он охранника отвлекал. Такое милое дитя. Ты удивлен?

— Нет. Мне ужасно грустно. Получается, что не бывает чистого, нежного возраста, когда человек непродажен...

— Бывают люди, которые непродажны в любом возрасте, вот как стоит вопрос. Мне кажется, ты слишком близко принял это к сердцу. Ты что! У тебя большие проблемы, а тут полная ерунда... Дело это — абсолютная липа...

— Это не ерунда, — печально сказал Коля. — Если бы я умел рисовать, я нарисовал бы мальчика с собакой. Такой символ преданности и дружбы... Наверное, Николаев меня правильно определил в эту дурку. Я полный идиот. Я даже думал, что когда-нибудь... Когда выберусь из всего... Я заберу к себе Егора с собакой. Помогу ему образование получить, из нищеты выбраться. Он из бедной семьи, там трое детей, их не кормят, может, поэтому он меня за деньги сдал...

— Коля, я проверил. Эта бедная семья строит кирпичный особняк вполне бизнес-класса. Папаша его — полный отморозок по ходу — меняет машины, служит у какого-то бугра на Рублевке. То есть тебя развели по полной программе.

— Сережа, можно тебя попросить? Сходи к нему еще раз. Предложи продать тебе собаку. Он сказал, что она его единственный друг.

— И куда, по твоему мнению, я дену эту слепую собаку? Он ведь мне ее продаст!

— Купи. Придумай что-нибудь. Я заберу ее, не сомневайся.

— Инфантильный ты мужик, — вздохнул Сергей. — Ты обвинен в убийстве. Другой следователь собирается тебя посадить за то, что ты его не совершал. У тебя пока нет возможности даже выйти из комы, ты торчишь здесь без квартиры, без денег, без Марины... И ты расстроился из-за какого-то паршивца... Я куплю тебе эту собаку. Тем более что предыдущую собаку, как мне весело сообщил этот Павлик Морозов, его папаша сбросил с балкона, пес пробил машину соседа и погиб. «Представляете, какой папа сильный?» — сказал этот говнюк.

— Знаешь, о чем я попрошу: ты ему предложи очень мало денег за Грэя. Скажи: или так, или никак. Для чистоты эксперимента.

— Я так и сделал. И на сей раз дал ему из твоего якобы конверта не три тысячи, а триста рублей. Тридцати сребреников не было.

— Спасибо, Сережа. Ты иди. Сейчас мне принесут таблетки. Буду спать. Все нормально. На самом деле я здесь себя прекрасно чувствую: тут я точно самый умный.

Когда Сергей вышел, Коля долго не мог шевельнуться. Что-то должно было стать последней каплей в этом кошмаре событий. Он лежал, смотрел в потолок и чувствовал, как у него дрожит подбородок. Если дети рождаются или становятся алчными и продажными, чего ждать от взрослых?.. От которых они, впрочем, и рождаются. В этой жизни его не предавал только ленивый. Даже мама его бросила. А Марина, наверное, вообще не помнит, кто он такой... Тут-то вдруг и позвонил телефон, который принес Николаев. С одним контактом. Коля неохотно взял трубку и услышал... Он услышал знакомый голос.

— Коля, ты? Это Марина. Я потребовала у Андрея твой телефон, потому что не верила, что ты жив. Коля, как ты?

— Вот теперь я жив, — тихо сказал Кузнецов.

Глава 6

Сергей непринужденно вошел в кабинет Волковой, как будто был ее заместителем.

— Доброе утро, Ольга. Надеюсь, не помешал?

Она посмотрела на него совсем недобро, да и утро лично ей таким не казалось.

— Здравствуйте. Помешали. Странная у вас манера являться без звонка. Сейчас это тем более странно, что мы наше дело вроде бы завершили. Меня устроили ваша работа и результат. Я должна это повторять?

— Ну что вы. Я схватываю все на лету. Просто хотелось договорить. Я ведь не казенный следователь, стремлюсь к доверительным отношениям с клиентом.

— Но я больше не клиент.

— Однако мы остались добрыми знакомыми, разве нет? Кстати, как с оборудованием? Удается уложиться в срок, данный доброй феей по имени Бюджет, или вы пролетаете, как Золушка?

— Именно этим я сейчас и занимаюсь.

— А я как раз вчера вас вспоминал. У моей мамы живет зверюшка Маня — то ли хорек, то ли хомяк, то ли банальная крыса, я стесняюсь спросить. Мама очень ранима. В общем, Маня пожаловалась на плохое самочувствие. Мама, конечно, ее в сумочку — и в клинику. Там пациентке сделали анализ крови. Готов, говорят, будет дней через десять. Мать деликатно спрашивает: вы в своем уме? Мане плохо сейчас. Они объясняют: у нас кончились тест-полоски за копейку штука, с помощью которых, собственно, и делают анализ. Деньги на очередную партию полосок государство выделило, но, чтобы получить это, можно сказать, оборудование, нам нужно принять участие в конкурсе, доказать, что мы достойны, понравиться поставщику... Иначе деньги отзовут, как и у вас. И останется Маня без анализа.

— Вы пришли меня развлечь?

— Да. Не получается? — Сергей легко хлопнул в ладоши и сделал па из лезгинки. — Дальше требуется холодное оружие в зубах. Все упирается в металл.

Он наконец придвинул стул к столу Ольги, зафиксировался и пристально посмотрел в ее холодные глаза.

— Вы что-то хотите мне сообщить? Я слушаю, — сказала она.

— Не то чтобы хочу... Ольга, не получится, как вы задумали. Вы пришли ко мне, чтобы получить информацию, теперь требуете, чтобы все было похоронено вместе с неопознанным телом девушки. Ее не похоронят без расследования. Возникли другие обстоятельства.

— При чем здесь я? Меня это больше не интересует.

— При том, что человек, которого то интересует исчезновение сотрудницы, то резко нет, вызывает подозрение.

— Я совершила большую глупость, обратившись к вам. Что из этого вытекает? Вы собираетесь донести на меня или что?

— Какой ужас. Все, что вы мне доверили, — тайна из тайн. Проблема в том, что вы мне ничего не доверили. Не нужно быть детективом, пусть даже частным, чтобы понять, что главное вы скрываете, извините за прямоту. Даже если это главное является всего лишь вашей догадкой, предположением. Так не переживают за одну из рядовых сотрудниц, так не оберегают от любой информации директора, который был близко знаком с этой сотрудницей, и не меняют свои решения четкие люди вроде вас.

— Сережа, к чему это политпросвещение?

— К тому, что официальное следствие уже подключилось к расследованию этого убийства Князевой. Это связано с другим делом, очень серьезным. Не могу пока объяснить точнее. Это достаточно секретная информация. В тех же числах уволилась с работы и уехала куда-то отдыхать другая девушка, примерно такого же возраста, роста, как Вика. Проверка не дает никаких результатов. Получается, что та девушка не покидала Москвы. Но ее нет по месту жительства. У следствия возникло предположение, что она выехала по документам Виктории Князевой. У них есть общие знакомые.

Ольга провела рукой по лбу, на котором появилась испарина.

— Среди этих знакомых — Алексей?

— Об этом ничего не известно. Но не исключено.

— У вас есть фото той девушки?

— Сейчас найду. — Сергей подошел к включенному компьютеру. — Она не так любит выкладывать свои фото, как Виктория, но кое-что есть. Вот.

Ольга пристально рассматривала любительский снимок эффектной девушки в джинсах и белой рубашке, которая, надменно улыбаясь, смотрела большими темными глазами тревожно и горько. «Как «Неизвестная» Крамского», — подумала Ольга и растерянно оглянулась на Сергея.

— Ульяна Леонтьева. Я не знаю, кто это такая.

— Охотно верю. Оля, — Сергей сказал это совсем по-дружески, — я, разумеется, буду молчать, как партизан. Но если что-то есть... Что-то такое, о чем известно вам с Алексеем, следствие до этого доберется. А ведь нечто есть, не сойти мне с этого места. Я пришел сказать, что нельзя упускать момент. Будет поздно.

...Ольга вошла в кабинет Алексея и сказала ему, что есть серьезный разговор. Но не здесь. Нужно поехать домой. Они вышли, Алексей увидел во дворе Сергея и не удивился. Он гнал от себя эту мысль, но первое появление «юриста» у него в кабинете показалось ему неестественным. Он допускал мысль, что продолжение возможно. Значит ли это, что Ольга доверила кому-то их тайну? Скорее всего, да. Они приехали к Олиному дому, Сергей — за ними.

Вошли молча в квартиру. Ольга сварила и поставила на стол три чашки крепчайшего кофе. Разговор получился на удивление коротким.

— Это очень плохо? — спросила у Сергея Ольга.

— Чуть-чуть хуже, чем я думал, — задумчиво ответил тот. — Где орудие убийства?..

Потом Алексей смотрел на фотографию Ульяны Леонтьевой.

— Я первый раз вижу эту девушку.

— Она не может быть той, что лежала у вас на террасе?

— Если надеть на нее костюм Виктории, наверное, их можно перепутать, учитывая, что лица нет... Просто эта — брюнетка.

— Ну, это самый ненадежный признак. Девушки меняют цвет волос под платье. Я не знаю, крашеные ли волосы у покойной. А вам известны какие-то особые приметы Виктории Князевой?

— Д-да... — Алексей нерешительно взглянул на Ольгу. Она до боли закусила губу и кивнула. — Я обратил внимание... У Вики деформированный второй палец на левой ноге. Она рассказала, что сломала его еще подростком, когда играла в футбол. Сросся неправильно. Из-за этого у нее были проблемы с обувью: приходилось покупать на размер больше, стельку подкладывать в правую туфлю.

— Вы готовы завтра поехать на опознание?

— Да.

— Тогда Князева пока не тревожим. Возможно, это не его дочь.

Глава 7

Петр Князев вошел в квартиру и поначалу даже испугался. В прихожей и далее рядами стояли чемоданы, ящики, сумки... Зазвенел возбужденный голос Веры, и стало ясно, что она переезжает на новое место жительства. Она дала согласие на развод, поторговалась при дележе имущества и расчете ежемесячной субсидии, милостиво одобрила квартиру, которую он присмотрел для Виктории. Дочке теперь и здесь будет удобно... Пока она не вышла замуж.

Вера объясняла рабочим, что нужно выносить в первую очередь. Где находятся бьющиеся вещи, где — нет. Была красной и потной. На бывшего мужа взглянула мельком, без всякой симпатии. По комнатам лениво шатался ее братец, ковыряя зубочисткой в зубах. Он прошел мимо Петра, даже не подумав поздороваться для приличия. Петру стало любопытно. Ясно, что она вывозит вещи вовсе не по списку, который они составляли: «твое-мое». Хватает все, что может унести. Мебель частично тоже разобрана и упакована.

— Тебе понадобится колонна грузовиков, не иначе, — сказал он ей в ухо, поскольку было ощущение, что она его вообще не воспринимает: не слышит, не видит.

— Разберемся, — буркнула она. — Не за один раз перевезем. Ваня договорился.

Петр посмотрел на ее брата Ивана, который ответил ему наглым тяжелым взглядом. Он его и не разглядел толком раньше. Он редко у них бывал. Сейчас удивился: надо же — прямо крутой новый москвич. Сытая физиономия, дорогая кожаная куртка, белоснежная рубашка под ней, запах дорогого парфюма. Все вместе свидетельствует об определенном статусе — обслуга какого-то бугра: чиновника, политика, авторитетного бандита.

— Хорошо выглядишь, — сказал ему Петр. — Прыщи вылечил.

Он прошел в свой кабинет, сел за стол. Вроде бы большая квартира, а разойтись с этими двумя невозможно. Даже на кухню выходить не хочется. Петр вспомнил, как встретил Веру. Застенчивую, миленькую провинциальную девушку, которая восхищалась каждым его словом, восторгалась Москвой, пугалась его знакомых. Жила в съемной квартире с братом Иваном, неловким деревенским парнягой с прыщавым лбом, сальными волосами, плохими зубами и фрикативным «г». Как Иван его благодарил за то, что Петр устроил его в одну ремонтную бригаду. Потом, когда Петр с Верой поженились, она время от времени просила денег для брата: машину купить подержанную, то-се... Петр подошел к окну, посмотрел: Иван осторожно ставил какую-то коробку в новенький джип «Мерседес-Бенц». Похоже, жизнь наладилась, и живет он однозначно не в съемной двушке на «Щелковской». Рядом стояли еще две «Газели». Масштабное мероприятие. Петр почувствовал, что его терпение на исходе. Он уже не рвал свою семью по-живому. После смерти маленького мальчика, который отказался от грязи жизни, Вера не была для Петра ни женой, ни близким человеком, ни существом, которое можно как-то терпеть. А сейчас они с братом вывозят то, что заработано Петром... Ему не жалко, просто не хочется чувствовать себя под игом наглых захватчиков. Он вышел из кабинета, сразу наткнулся на озабоченную Веру и крепко прихватил ее за локоть.

— Валите отсюда. Все, что не выгребли, заберете завтра. Я пришел домой отдыхать, поняла? Не беспокойся, проверять, что ты упаковала, не буду. Вот только думаю: не помнишь, где тот драный рюкзачок, с которым ты сюда приползла?

— Вспомнил? — Она посмотрела на него с ненавистью. — А два года моей молодой жизни, которые я тебе отдала, забыл? А ребенка, который из-за тебя...

Он с такой силой дернул ее за руку, что сам испугался: не оторвал ли? Она осеклась и оглянулась: «Ваня, ты где? Он бьет меня!» Вани не было. Вера посмотрела почти кротко. Петр отпустил ее руку.

— Я прошу тебя: уходите. Вернетесь утром. Я больше это терпеть не намерен.

Она кивнула, вышла, пошепталась в прихожей с братом, отдала распоряжение рабочим, которые взяли какие-то вещи и вышли. За ними вышел Иван с чемоданом. Петр ждал на кухне, куда пришел, чтобы выпить воды — в горле пересохло, подумал: когда они наконец уберутся, он выпьет бутылку водки, которая стояла у него в холодильнике. Эта мысль его немного успокоила. И вдруг в кухню вошла Вера.

— Ты просил узнать, с кем уехала Виктория. Этого никто не знает. Но я точно скажу, с кем она не уезжала. С Осоцким!

— Это кто?

— Ты что! Не знаешь, кто такой Осоцкий?

— Тот самый?

— Ну да! У них что-то было. Она окучивала его. Что не мешало ей...

Вера не рискнула договорить, быстро вышла.

Петр стал лихорадочно соображать. Осоцкий. Известная персона. Никто толком не мог сказать, кто он, но о нем говорят как о влиятельной теневой личности во властных структурах... Черт его знает, как все это расшифровать: теневая личность, ключевая фигура, властная структура. У всего вроде должна быть четкая формулировка: начальник, директор, президент, завскладом... У Петра не слишком хорошая память, он не интересуется светскими, политическими и бизнес-новостями, ему некогда торчать в Интернете, но кое-что он, конечно, слышал. Этот Осоцкий однозначно женат. Что могло связывать его с Викой? То есть Петр не настолько наивен, просто непонятно, как они познакомились. Вообще стоят ли чего-то слова Веры? Петр подумал и решил: стоят. Она оказалась очень способной московской сплетницей. Он всегда удивлялся обилию совершенно ненужной вроде бы ей информации, которой она иногда с ним делилась. Почему-то беспокойство росло. Петр не вмешивался в личную жизнь дочери, она не была с ним откровенна. То, что выяснилось в результате выходки Курочкина, конечно, шок для него — отца. Наверное, многие молодые привлекательные женщины ведут сейчас столь свободный образ жизни. Но если действительно были отношения с известным и влиятельным человеком, если эти отношения почему-то приходилось скрывать... Или вообще не отношения скрывать, а самой скрываться по какой-то причине. Петру показалось, что Виктория поступила странно. За все время отсутствия она ни разу не позвонила его матери, своей бабушке. Вообще-то должна была. Он взял телефон, преодолел себя и набрал Курочкина.

— Привет, Сеня. Решил тебе позвонить. Ты куда-то пропал.

— Привет. Что значит пропал? Ты, наверное, забыл, как чуть не поубивал всех... из-за какой-то шутки. Я тебя просто боюсь.

— Да, шутка твоя удалась. Я развожусь с Верой. Мы уже разъехались.

— И правильно. Она не та женщина, какая тебе нужна, — авторитетно заявил Курочкин. — Я познакомлю тебя...

— Спасибо. Обязательно. Потом. Сеня, я по другому поводу. Ты не знаешь, с кем уехала в Турцию Виктория?

— Понятия не имею. Ты ж знаешь, какая она скрытная.

— Да. А ты что-нибудь слышал про ее отношения с Осоцким? Или это сплетня?

— О! Это — да. О них говорят.

— Что?

— Ну, спали они однозначно. Петь, сплетничают, что Вика хотела, чтоб он на ней женился. И еще говорят, будто шантажировала его чем-то...

Глава 8

Алексей вышел в коридор, прислонился к холодной стене, стащил марлевую повязку с лица.

— Это Виктория, — глухо сказал он. — Я практически не сомневаюсь.

На него бесстрастно, изучающе смотрели эксперт, следователь Земцов, частный детектив Кольцов. На него в крайнем отчаянии смотрела Ольга. Она толком не могла сказать, на что надеялась, просто теперь им вместе быть невозможно. Независимо от того, виновен он в гибели Виктории или нет, она всегда будет стоять между ними. И оставить его в такой ситуации тоже нельзя. Она ведь сама в ней поучаствовала... В сильной горячке, как теперь понимает. Но что тогда было делать? Доносить на него?

Теперь отвечать придется. Как она могла сомневаться в обратном...

— Ну, что ж, — заключил Масленников. — Полагаю, ваше мнение мы можем считать компетентным. Нужно поставить в известность родственников, отца в первую очередь.

— Проверять эсэмэски, входящие звонки, вычислять, ударно трудиться, — добавил Земцов. — Спасибо товарищам за инициативу. Был бы Кольцов, обратился бы к нему за помощью. Но Кольцов для меня умер.

— Ну, умер так умер, — невозмутимо отреагировал Сергей, поверивший в то, что Слава оскорблен в дружеских чувствах окончательно и бесповоротно. — Может, это лучше, чем официальное обвинение следователя Земцова. Уверен, что его команда с эсэмэсками справится. Асы. А мы, Алексей, — повернулся он к Васильеву, — поедем, пожалуй, к вам домой. Поищем орудие преступления. А вдруг... Сдается мне, оно где-то там может быть. Лучше, если найду его я. Александр Васильевич, передайте, пожалуйста, это следователю Земцову. И, если вас не затруднит, поручитесь за то, что я не собираюсь утопить найденное орудие — не дай бог — в колодце. Алексей Васильев не является моим клиентом. Следователь должен принять это к сведению.

— Васильев не является, — язвительно сказал Земцов. — Его сож... извините, — взглянул он на Ольгу. — Его подруга Волкова является твоим клиентом.

— Может, закончите свой дурацкий спектакль, — рассердился Масленников. — Совершено убийство молодой женщины. Мы все, здесь собравшиеся, обязаны в этом разобраться. А вы оба — профессионалы. В бирюльки поиграете на досуге.

Сергей удовлетворенно кивнул, коснулся локтя Алексея. Васильев беспомощно оглянулся на Ольгу. Та помедлила и вдруг сказала:

— Если отца Вики привезут сейчас... Ну, в любом случае разрешите мне его подождать. Не только потому, что из-за меня он узнает о ее смерти с опозданием... Да, это я уговорила Алексея вывезти тело. Не могу уйти. Прошу меня понять.

— Оставайтесь, конечно, — согласился Масленников. — Вы покойной не посторонний человек... Пройдем ко мне в кабинет, я сделаю вам укол — сердце поддержать. Мероприятие тяжелое, а вы уже сейчас выглядите неважно.

Сергей с Васильевым ушли, Масленников пропустил Ольгу и Славу в свой кабинет, быстро сделал ей укол в вену, усадил в широкое кресло у окна.

— Я вам заварю крепкий чай, — сказал он. — Глотните, поможет.

Он повернулся и встретил вопросительный взгляд Славы.

— Александр Васильевич, я думаю, что лучше: позвонить или ехать за Князевым? Можно узнать, на работе ли он. Ох, не люблю я это.

— Слава, — серьезно ответил Масленников, — я собираюсь искупить свою вину. То есть участвовать в этом деле по максимуму. Я позвоню отцу.

Слава облегченно вздохнул и выложил перед экспертом все телефоны Петра Князева.

Масленников набрал рабочий. Ему сразу ответил мужской голос:

— Я занят. Совещание. Перезвоните через час.

Эксперт набрал повторно.

— Не бросайте трубку. Попросите всех выйти. Это очень важно...

— Да, — услышал он через некоторое время взволнованный голос. — Кто вы? Что случилось?

— Возможно, случилось. Меня зовут Александр Васильевич Масленников, эксперт по особо важным делам... Патологоанатом... Четырнадцатого августа в Подмосковье было обнаружено тело убитой девушки. Мы наводили справки: такую девушку никто не искал. Но по стечению ряда обстоятельств она была опознана предварительно человеком, который близко знал ее при жизни. Он считает, что это Виктория, ваша дочь...

— Да нет же. Это ошибка! Вика мне пишет и звонит... — Голос Петра осекся. — Я должен посмотреть. Куда ехать?

...В этом кошмаре — пока ждали Петра, когда его встретили, повели в страшную комнату, когда он вышел, полумертвый, — Ольга чувствовала лишь пронзительную боль в висках. И понимала, что переоценила свои силы. Она не может этого выносить, она не знает, как себя сдержать: плакать или кричать ей нельзя, это неприлично. Она здесь никто. Нет, она преступница, тащила мертвую девочку на пустынную грязную дорогу. Хоть бы этот нервный следователь забрал ее в тюрьму, что ли. Ей нельзя показываться людям на глаза, она сама не может никого видеть.

— Это Викуля. — Губы Петра дрожали. — Кто ж такое сделал... Она очень красивая была...

— Пройдемте в кабинет. — Масленников крепко сжал его плечо. — Мои соболезнования. Мы во всем разберемся. Это следователь — Вячеслав Михайлович Земцов.

Они пошли втроем, а Ольга осталась стоять посреди коридора.

— Может, вас отвезти? — Земцов вернулся и смотрел на нее почти сочувственно. Или ей показалось.

— Куда?

— Не знаю. Домой? На работу? К родственникам? Друзьям? Вам нужно прийти в себя.

— Я надеялась, что вы меня сразу в тюрьму посадите.

— Не все надежды сбываются, — грустно улыбнулся Слава. — У меня сейчас серьезная работа с отцом погибшей, а вас отвезет мой сотрудник, он ждет в приемной. Куда скажете. Можно на вашей машине. Я ему позвоню. Не отчаивайтесь так. Все, что нам остается, — узнать правду.

Глава 9

Пока Сергей рылся в кустах, растущих вокруг террасы в саду Васильева, тот стоял неподвижно на дорожке. Минут через двадцать Сергей не спеша направился к нему. В руках... да, в руках он держал пистолет, завернутый в носовой платок.

— Посмотрите, пожалуйста, не прикасаясь, ваш?

— Покажите с другой стороны — там должна быть царапина... Да, мой. Что делать?

— Вы же слышали: я обещал следователю не топить улику. Расслабьтесь, попробуйте пошевелиться. Вы сейчас похожи на ледяную статую. У Лажечникова читал. Читали?

— Я не понимаю, о чем вы говорите.

— Ничего. Вы — не единственный. Доношу суть: это хорошо, что вы с Ольгой не нашли орудие убийства. Скорее всего, это оно и есть. Вы со своей предусмотрительностью наверняка бы его выбросили. То, что пистолет здесь, говорит о том, что имела место подстава. Понятно?

— Почти.

— Вы здесь останетесь или вас куда-то отвезти? Самому не советую садиться за руль.

— Я поеду к Ольге.

— Хорошо, пошли.

Сергей подвез Алексея к дому Волковой и, прощаясь, отвел взгляд. Алексей ждет поддержки и сочувствия... Но история, в которую он влип, слишком круто замешена. Сочувствия ему сейчас не дождаться даже от Ольги. Он отъехал, еще точно не зная, куда нужно в первую очередь, но тут позвонил Николаев. Это решило проблему. Николаев в любой очереди первый.

— Серега, привет. Как дела?

— Пошли с Масленниковым в подмастерья к следователю.

— Как его фамилия?

— Земцов.

— Не помню такого. Неважно. Все это фигня, ты, наверное, и сам понимаешь. У нас будет только то, что сами найдем, разжуем и этому Земцову в рот положим.

— Негигиенично, сказала бы моя мама.

— Зато верно. Мы — не чистюли. Не подъедешь сейчас?

— Еду.

Офис Николаева был похож на него самого. Добротный, строгий, комфортный, в совершенстве оснащенный технически и немного сумасшедший. Можно было не сомневаться, что из каждого квадратика мозаики на тебя смотрит глаз видеокамеры, а милые и спокойные сотрудники по любому сигналу начнут стрелять с обеих рук и ногой нажимать кнопки взрывных устройств. Сергея ждали, провели к директору с почестями.

Николаев сидел за столом, немного напоминающим центр управления космическими полетами, и нетерпеливо перебирал пальцами по краю. Похоже, в детстве он играл гаммы!

— Садись. Чем занимался?

— Убийством девушки, которую мы выдавали за Марину Романову.

— Так я и знал. Некрофилы. Эта девушка может и подождать. А сама Марина, между прочим, томится без имени, без сына, без родины... да...

— Ты забыл мужа и Колю Кузнецова.

— Я не забыл. Мы к ним вернемся. Мы собираемся нейтрализовать Константина Петрова, который ее заказал, или нет?

— Собираемся. Есть план?

— Да. И он вообще без вариантов. Я проделал большую работу, но для того, чтобы получить нужный результат, требуется интрига.

— Кто б сомневался. Мы не пустим, случайно, к нему инопланетян, которые спишут информацию с его мозга?

— Почти так. Пусть он нам сдаст своего покровителя, с которым заключил серьезную сделку. Пусть скажет, что по его заказу убирал свидетелей.

— Ага, — скучным тоном сказал Сергей. — Передача такая есть «Пусть говорят».

— Ты считаешь, что я позвал тебя помечтать вместе? Я знаю, что это за сделка и кто этот человек.

— Кто?

— Василий Осоцкий! Слышал про такого?

— Конечно. Там и сям. Но не вникал, кто он на самом деле.

— Мало кто вникает. На самом деле он, как водится, полубог. Но именно «полу». То есть на чем-нибудь обязательно споткнется — и поедет, как с высокой горы.

— И этим «чем-нибудь» может оказаться несостоявшееся заказное убийство бухгалтера одной незаметной корпорации?

— Нет, конечно. Просто я не все сказал. Этот Осоцкий с недавних пор является покровителем одной вдовы... Ты не поверишь, но это вдова Виктора Леонтьева, заместителя Петрова. Только Леонтьев и Марина Романова знали о сделке, точнее, о том, что деньги пойдут совсем по другому направлению.

— Ты знаешь, куда они должны были пойти?

— Конечно. На строительство сети детских онкологических клиник. Понимаешь, Осоцкий известен тем, что широко поддерживает зарождающийся бизнес, благотворительность, социальные программы, нужды медицины, деток и так далее... Расходные документы выходят из его кабинета веером... Если бы все доходило до места, даже если бы кое-что доходило, мы бы погрязли в благоденствии... Бесподобная ловкость рук. При этом безупречная репутация.

— Из бюджета деньги? — без выражения спросил Сергей.

— Из леса, вестимо. Откуда берутся олигархи? Никто не знает, где этот бюджет лежит и кто его охраняет. Даже я. Но дело не в этом. Ты понял, о чем я?

— Андрей, информация ценная, конечно. Но, извини, я не вижу поля для интриги. Для успешной интриги. Лоб подставить — это да, но пули подменить на детские резиновые вряд ли получится. Что мы такому человеку предъявим? Ну, не финансовые же претензии. Их нет к нему ни у кого, как ты сам понимаешь. А что вдову своего неопытного партнера пожалел и понятия не имел, что другой партнер решил избавиться от бухгалтера, так это ежу понятно.

— Ты меня плохо слушал. Я сказал, Осоцкий должен узнать, что Петров его к этому делу приплел.

— Но он не приплетал?

— Нет. Слушай, я — воин, детектив — ты. Следователь еще у нас имеется... Вы должны как-то использовать то, что я сейчас сказал.

— Елки-палки! Андрей, прости, день тяжелый: опознание, Земцов со мной через переводчика разговаривает... Я ничего уже не соображаю. Ульяна Леонтьева! Дочка того самого Леонтьева! Слава Земцов был у вдовы, у той самой! Она сказала, что ее дочь Ульяна отдыхает где-то. Слава все проверил-пробил: не выезжала никуда из Москвы Ульяна Леонтьева. И нигде не останавливалась. С работы уволилась. Он посмотрел круг ее общения: она знакома с мужчинами, которые знали и Викторию Князеву, убитую девушку. Они часто бывали в одном клубе. Возможно, Осоцкий знал обеих! Ульяна уехала примерно в то же время, когда пропала Князева. Виктория, точнее кто-то по ее документам живет в Швейцарии.

— Черт! Вот это интрига!

— Ты на самом деле думаешь, что Осоцкий имеет отношение к убийству скромной сотрудницы НИИ Князевой, даже если и встречал ее в своем клубе?

— Я думаю, что семейке Леонтьева нужно было, чтобы Ульяна выехала по чужим документам. И поэтому убили другую девушку. Покровитель вдовы мог это устроить. Ясно, что этот человек привык так решать вопросы. Не своими руками, разумеется.

— Тут не все однозначно, не сходится, все спорно...

— Это — второй вопрос, Серега. Главное, чтобы лед тронулся и враг дрогнул. Если Осоцкий неровно дышит к этой вдове, он дрогнет. Как мужчина тебе говорю.

Сергей внимательно взглянул на лицо Николаева, которое стало даже одухотворенным. Тот прямо встретил его взгляд и сказал:

— Вот. Справка насчет сделки Осоцкого и Петрова и детальная информация от Марины: она помнит все реквизиты. Возьми на всякий случай.

Глава 10

Сергей приехал в следственное управление без звонка, вошел к Славе без стука, как в добрые старые времена. Земцов смотрел на него без всякого выражения.

— Слава, — сел перед ним Сергей, — давай работать напрямую. А то голова идет кругом:

все время звоню Масленникову, спрашиваю, что ты сказал, и прошу передать, что я ответил.

— Ну чего? — спросил Слава.

— Пистолет я нашел. Вот. Это действительно оружие Васильева. Дальше — вот справка, ее подготовил для тебя Николаев по поводу сделки Петрова, которую тот заключил, оказывается, с Осоцким. Знаешь такого?

— Слышал.

— Там Марина написала все, что помнит.

— Что нам это дает?

— Не знаю. Мотив. Вдруг Петров захочет сам покаяться в том, что заказал Марину по распоряжению Осоцкого. И своего зама Леонтьева — тоже. Потому что сразу после гибели Леонтьева его вдова стала пользоваться покровительством этого самого Осоцкого.

— Значит, он... Похоже. И что?

— Слава, ты предположил, что Ульяна Леонтьева могла выехать по документам Виктории Князевой. Если это так, была на то серьезная причина. Семья Леонтьева однозначно подозревается в убийстве Виктории Князевой. Или в соучастии. Осоцкий — их покровитель. Ты сам говорил, что масштабы покровительства поражают... Идея Николаева заключается в том, что враг должен дрогнуть, а Марина Романова смогла бы вернуться домой. Остальное его не интересует.

— Заметно, что ты ко мне пришел сразу от Николаева или из дурдома, где находится в коме твой клиент Кузнецов. Семья Леонтьева действительно подозревается, пока не знаю, в чем... В Швейцарии точно Ульяна находится. Там у меня случайно коллеги оказались в командировке, они ее сфотографировали. Швейцарские коллеги предоставили для этого вертолет. Дело у них общее в тех краях. Сомнений нет. Тебе фото не могу показать, так как она голая.

— Мне такое действительно нельзя видеть, — согласился Сергей. — Начинаю орать, как соседский кот.

— Скажи соседям, чтоб его кастрировали, — посоветовал Слава. — Что касается вашего бреда насчет Осоцкого, то пока не вижу никаких оснований беспокоить столь занятого человека. Ну, бывали Виктория и Ульяна в клубе, который вроде принадлежит ему. Ну, состоит он в отношениях с вдовой Леонтьева, матерью Ульяны. Но каким образом его можно приплести к убийству Князевой? Мы с этим к нему не сунемся. Насчет гибели Леонтьева я вот что тебе скажу. Наверняка Осоцкий причастен. Но даже если Петров и сдал бы его, вопрос решился бы просто. Не стало бы ни сделки, ни Петрова. Очередное дело пойдет в архив. А я хочу найти убийцу Виктории Князевой.

— Я тоже этого очень хочу, — небрежно заметил Сергей. — Но нужно еще вернуть к жизни Марину Романову и Колю Кузнецова.

— А вот это точно не мой вопрос. Не я столь остроумно решал их проблему, что одна теперь похоронена, а другой — в коме.

— Не твой, конечно, — вздохнул Сергей. — Но ты не будешь против, надеюсь, если я попробую что-то предпринять... Мне ж, кроме головы, рисковать нечем. А что такое моя голова против твоих погон, да?

— Да ради бога!

— Тогда маленькая деталь. Не мог тебе сразу сказать, поскольку ты со мной не общался: друг семьи Князевых, веселый кувыркун Курочкин, поведал мне такую сплетню. Виктория Князева вроде бы не просто бывала в клубе Осоцкого, а все-таки спала с ним. И чем-то его шантажировала!

— Сережа, если ты походишь на их тусовки, ты и не такого наслушаешься!.. Мой совет: не смеши профессионалов и не гневи серьезных людей этой ерундой.

— Примерно это я и рассчитывал услышать. Ладно, я пошел, мне еще слепую собаку нужно купить. Коля заказал.

Слава уставился на него своим коронным взглядом — как рентген.

— Ты готов, старик. Спасти тебя может только нормальный вечер с нормальным человеком. Можешь приехать ко мне... Не с пустыми руками. И все пройдет, поверь моему опыту.

Глава 11

Сергей приехал к Славе поздно вечером с бутылкой водки и килограммом сарделек. Он был настолько мрачным, что Земцов не скрыл беспокойства.

— Ты чего такой? Зуб болит или клиент повесился в дурке?

— Нет, — ответил Сергей. — Просто один милый пацан продал мне сейчас своего единственного друга. Слепую овчарку. Жалобно так говорит: «Дядя Сережа, ну еще хоть пятьдесят рублей. Это ж мой единственный друг».

— Чувствую, тут какая-то душещипательная история. Скажи мне сразу, на чем вы сошлись?

— Тысяча восемьсот пятьдесят.

— Сколько лет пацану?

— Неполных тринадцать.

— Даже не знаю, что тебе сказать... Где овчарка?

— Дома у меня. Пока. Мама приедет — покормит, погуляет. Ты понимаешь, он не поверил, этот умнейший пес. Он ходил по моей квартире, тыкался во все носом и не мог понять, где его единственный друг. Потом понял, что его предали, лег, положил морду на лапы, посмотрел в мою душу красивыми слепыми глазами и заскулил... Налей мне скорее, Слава.

Масленников позвонил Земцову через час, сказал, что проезжает мимо и сейчас заедет. Вошел со Славой на кухню, где безучастно смотрел в стену Сергей перед пустой бутылкой, и спросил:

— Вы точно в форме? Или я зря время теряю?

— Все нормально, Александр Васильевич, — сказал Слава. — У Сережи личные переживания. Я сейчас сварю кофе, а вы пока перекусите. И можем работать.

Александр Васильевич сел напротив Сергея, закурил:

— Я тебе не мешаю?

— Нет, конечно.

— Ты потом мне расскажешь о своей проблеме, ладно? А сейчас нужно быстро закончить это дело, точнее, букет из дел. Марину Романову надо возвращать, твоего клиента...

— Николаев тоже очень хочет вернуть Марину Романову. А по мне, так ей там, у него, лучше.

— Ты о чем?

— Я сейчас покупал в «Ашане» водку — ну, была в этой бутылке водка — и сардельки. Смотрю, муж Марины Романовой в очереди, чуть не подошел... Вовремя остановился. Он с женщиной был. Хорошие продукты купили, вино, я вышел, посмотрел вслед: они в одну машину сели, дама за рулем.

— Может, родственница.

— Они поцеловались, прежде чем сесть в машину. Я номер записал, уточню. Может, действительно есть у него сестра одного с ним возраста, только, мне кажется, с сестрами иначе целуются.

— Да. Быстро все как-то.

Слава поставил перед ними по чашке кофе.

— Александр Васильевич, чувствуете, в какие дела он вас втягивает? Какие у него клиенты, знакомые? Все спят с кем-то, целуются, заказывают друг друга, собак слепых продают... Не то что у нас. Один украл, другой его за это убил, раскаялся и сел. Чисто, как в аптеке.

— Не понял про слепых собак.

— Ой, про это не стоит. Это надолго, — попросил Слава.

— А что это? — Масленников с отвращением глотнул напиток из кружки.

— Вы шутите или обидеть хотите? Это отличный ирландский кофе. Элитный, мне сказали продавщицы, за ним все гурманы охотятся.

— Покажи.

— Вот. — Слава протянул красивый пакетик. — При мне смололи.

— Действительно хороший, — понюхал содержимое Александр Васильевич. — А можно я сам его сварю?

— Пожалуйста. Даже интересно.

Через пять минут Александр Васильевич поставил на стол три чашки совсем другого напитка. Волнующе ароматного, густого, темного...

— И в чем дело? — поинтересовался, глотнув, Сергей.

— В чем, действительно? — растерянно спросил Слава. — Я вообще-то давно думаю: что-то не так у меня получается.

— Все просто. И все сказано в старом анекдоте. В одном местечке евреи ходят друг к другу на чай. У всех — бурда, только у Абрама — прелесть что такое. Они спрашивают у него: «Как же так? Мы покупаем лучший чай в лучшем магазине. У нас — бурда, а у тебя — прелесть. Что ты делаешь?» Он отвечает: «Это секрет». Приходит время, он ложится умирать.

Собираются друзья, просят: «Ты же не уйдешь, Абрам, не сказав нам свой секрет?» Он отвечает: «Не уйду. Евреи, не жалейте заварки».

— Серьезно?! В этом дело? — Земцов озадаченно чешет затылок. — Столько времени и денег было потрачено зря. Без удовольствия.

— Ничего, Слава, — утешил его Сергей. — Зато ты открыл сейчас дверь в блаженство. Когда все получается сразу, не тот эффект.

— Это верно, — согласился Александр Васильевич. — Надеюсь, этот напиток вернул вас в нормальное состояние и мы можем обсудить дела. На пистолете Стечкина, который предоставил мне Сережа, нет ничьих отпечатков пальцев. Его тщательно протерли. Пистолет действительно зарегистрирован на Алексея Васильева. Вывод?

— Его подставили, — сказал Сергей.

— Или он отлично продумал имитацию подставы, — добавил Слава.

— Хорошо, с этим разбирайтесь, — продолжил Масленников. — Теперь: Петр Князев рассказал, что его жена Вера и какой-то Курочкин сообщили ему, что Виктория состояла в отношениях с Осоцким и вроде бы чем-то его шантажировала. Вы в курсе? Это тот самый Осоцкий?

— Чем больше народу повторяет эту феньку насчет него и Виктории Князевой, тем меньший интерес она представляет, — заявил Слава. — Сережа мне сегодня то же самое принес в клюве. По всему, это дурацкая тусовочная сплетня.

Так говорят, наверное, еще о чертовой дюжине девиц, которые ошиваются вокруг Осоцкого.

— Но он точно покровитель, или как это называется, вдовы Леонтьева, человека, который был взорван в своей машине незадолго до того, как заказали Марину Романову. А дочь Леонтьева сейчас живет в Швейцарии, куда выехала по документам Виктории Князевой. И это уже не тусовочная сплетня, — объяснил Сергей. — И нужно решить, как тут действовать.

— Кому действовать? — задохнулся Слава. — Я же объяснил: у меня нет никаких оснований приплетать Осоцкого к убийству Виктории Князевой. К Ульяне Леонтьевой и ее другу — Димитрису Костаки — будем подбираться. Ничего, кроме перехвата телефонных разговоров, пока не могу придумать. Для того чтобы иметь право официально обращаться к полиции или властям Швейцарии, нужны более серьезные основания.

— Ничего себе несерьезные основания, — изумился Сергей. — Она выехала по документам убитой женщины!

— Слушай. Выпей еще кофе! Мы здесь! Князева была убита здесь! У нас орудие убийства! Но нет пока ни одной улики, которая бы указывала на Ульяну Леонтьеву или этого Костаки. Они могли найти документы Князевой на дороге. Они могли купить паспорт, не зная, что его владелица убита. Как в Швейцарии нам могут помочь? Особенно если учесть, что Осоцкий действительно влиятельный человек и, чтобы защитить дочь своей любовницы, запросто нам все перекроет.

— Да забудьте вы про этого Осоцкого, — вдруг заявил Сергей. — Я протрезвею, посплю и во всем разберусь. Об Осоцком столько разговоров, что мне уже тоже кажется, будто он вообще ни при чем. Ну, только проспонсировал контору Кости Петрова. Так ведь для хорошего дела. Детские клиники строить. Другой вопрос, что Костя не собирается этого делать. Третий, что Осоцкий на это и не надеялся. Но это, как говорит друг Слава, — не наш вопрос.

— Разберись, Сережа, пожалуйста, — примирительно сказал Александр Васильевич. — По делу добавлю, завтра экспертизу в управление привезу: стреляли в Викторию Князеву с близкого расстояния. Тем не менее берусь утверждать, что стрелок — профессионал. То, что Виктория не успела даже повернуть головы, говорит о том, что она, скорее всего, знала человека, который находился за ее спиной. Следов насилия на теле нет. Полового контакта перед смертью не было.

Глава 12

Василий и Мария поужинали в маленьком, почти засекреченном ресторанчике только для самых-самых, он привез ее к дому и произнес, испытывая отвращение к просительным интонациям в собственном голосе:

— Я зайду к тебе, Мария.

— Не стоит. Толик уже отдыхает. Он очень чутко спит. Мне не хотелось бы его разбудить.

— Маша, в твоей квартире — хорошая звукоизоляция. Мы пройдем в твою комнату. Это никак не может его разбудить.

— Но он, возможно, не спит. Он часто меня ждет.

— Ты говоришь о нем так, как будто он маленький ребенок. Ему скоро двадцать лет. В его возрасте люди уже женятся, растят детей. Что за дела, Мария? Почему я не могу к тебе прийти, когда мне этого хочется?

— Я уже объясняла. Толик нездоров. После смерти отца он не выходит из дома, боится чужих людей.

— Это я — чужой человек? Черт побери, как же тебе не стыдно! Мне надо было, конечно, плюнуть на все и уехать с концами. Но я не могу этого сделать. Ты прекрасно знаешь почему. Я люблю тебя, Мария. А ты... вы — как вы будете без меня, ты подумала?

Мария медленно повернула к нему голову, посмотрела своим темным, непонятным взглядом и тихо сказала:

— Пойдем, Вася. Извини меня.

Они вошли в квартиру, прошли в ее уютную спальню — богатой женщины со вкусом: все радует глаз, но не режет его, в обстановке, как и в самой хозяйке, — недоговоренность, загадка, тайна. Он сел в удобное кресло, вытянул ноги, закрыл глаза. Как же он устал! Как хорошо ему здесь. Его жизнь — погоня, маневры, риск, добыча, страх потерь. Его быт роскошен, он выцарапал на это право у жизни, содрав кожу с рук. Цель настолько оправдывала средства, что жертв в этой битве не считали. У него вышколенная добропорядочная жена и сын, который станет наследником империи. И он не догадывался до недавнего времени, что можно так восхищаться странной, немолодой женщиной, в которой ему непонятно абсолютно все и которая совершенно его не любит. Василий открыл глаза. Мария сидела у туалетного столика и спокойно снимала макияж, как будто его здесь не было. На стене висел большой портрет, как и в гостиной, того же художника. Только этот был сделан со старой фотографии. Молодая Мария сидит, строго выпрямившись, на стуле с высокой спинкой, а у ее ног на маленькой скамеечке устроилась девочка с темными длинными волосами. Она положила головку матери на колени, сияет черными очами безусловной красавицы, а Мария, обнимая ее, смотрит точно такими же глазами, только это глаза Мадонны. Так ему кажется.

— Мария, скажи, пожалуйста, где Ульяна? — не выдерживает Василий.

— Я тебе говорила. Она уехала отдыхать. Я не знаю куда. Она взрослый, свободный человек.

— С кем она уехала?

— Понятия не имею. Уля — взрослый человек.

— Ты, разумеется, лжешь. И я пытаюсь понять почему. Ты случайно не от меня ее прячешь?

— С чего ты взял?

— В тебе есть что-то маниакальное. Ты что-то вбиваешь себе в голову, и тебя нельзя переубедить. Я пришел, чтобы прояснить наши отношения. Я прошу, Мария, давай поговорим. Тебе показалось, что я... слишком хорошо отношусь к Ульяне? Может, ты ревнуешь?

— Об этом забудь, — коротко рассмеялась она. — Я вовсе не ревную. Но ни мне, ни моей дочери не нужно, чтобы ты к ней хоть как-то относился. Избави бог, как говорится.

— Но почему? Я о ней забочусь, извини, что напоминаю, просто это все объясняет. Она мне дорога как дочь любимой женщины.

— Какая пошлость, — вдруг брезгливо произносит Мария.

— О чем ты... Как с тобой разговаривать... Хорошо, я постараюсь совершенно честно, как с умным, взрослым человеком. Я восхищаюсь красотой Ульяны, я... хотел бы ее видеть чаще, мне было бы приятно, если бы она ко мне иначе относилась... Мария, если ты думаешь, что родные отцы красивых дочерей избегают искушения... конечно, только в мыслях... Ну вот, я сказал тебе все как на духу. Так не говорят с женщинами. Так говорят с мужчинами, которым доверяют. И в этом заключается мое к тебе честное отношение.

Она внимательно смотрела на него. С того момента, когда они познакомились на фуршете, посвященном заключению сделки с фирмой ее мужа, Мария каждую минуту чувствовала его настойчивое внимание. Ее это беспокоило. Когда Виктора взорвали, она подумала, что ее опасения сбылись. Но нужно было выживать с двумя взрослыми и совершенно не приспособленными к жизни детьми. Они унаследовали нравственную беззащитность отца и надменно-настороженное отношение матери к миру — за пределами семьи. Ульяна получила хорошее образование, Толик поступил на юрфак МГУ, но не было в них современного хватательного инстинкта. Ульяну совсем не занимала карьера, она не пошла бы на все ради денег, Толик после гибели отца утратил все. Кажется, кроме страха. Он с рождения был очень слабым. Какой бы стала жизнь ее детей без денег, которых Виктор на самом деле не успел накопить? Мария заключила сделку с человеком, который сейчас напряженно ждет ее объяснений. Они не подписывали бумаг, конечно, но у него не должно быть сомнений в том, что это сделка. Что она с ним ради его покровительства и денег. Она многое знала о нем — он из тех людей, о ком все много знают. Мария считала его циничным, жестоким и алчным. Если бы он был не таким, не занимал бы свое место, на которое никто не посягал. Но... Кажется, они оба в чем-то ошиблись. Она не смогла сохранить дистанцию, которая бы исключала его надежды. Он нарушил свой главный принцип — брать, а не давать. Дело не в деньгах и вещах. Дело в чувствах, которые у него однозначно есть. И она не знает, что с ними делать. И еще Ульяна... Нет, они все решили правильно. Просто нужно помягче ему объяснить.

— Вася, — сказала она искренне и просто, — я поверила в твои чувства. В моем положении — они проблема. Нам пора руководствоваться разумом. Поэтому давай отпустим Ульяну в ее жизнь. Ты был столь честен, что произнес слово «искушение», так пусть его не будет, хорошо? Нам этого не надо. У нее есть любимый человек, когда она сочтет нужным, нас с ним познакомит... Я — мать, но и я не собираюсь вмешиваться в ее жизнь. И тебе не позволю, ты уж меня прости.

— Любимый человек? — растерянно переспросил Василий. — Это серьезно?

— Серьезнее, чем ты предполагаешь. Больше я ничего не могу сказать.

— Хорошо. — На самом деле ему стало не по себе. Что-то необычное или опасное почудилось ему в ее словах, интонациях. — Хорошо. Только разреши мне по-прежнему участвовать в ее делах... Материально. И не бойтесь вы меня. Я никогда не переступлю грань по отношению к ней. К кому угодно — только не к ней. Может быть, пройдет время, мы с тобой будем вместе, и она... назовет меня отцом.

Мария вздрогнула и посмотрела на него с изумлением. Что за человек! Он убрал отца Ульяны, как булыжник с дороги. И такие сентиментальные мечты. Или это сделал не он?

Глава 13

Стас и Никита третий день пили, спали, а просыпаясь, несли всякую ерунду... Об одном молчали: шеф все не звонит. Ни новых поручений, ни расчета за старые.

— Слушай, — наконец не выдержал Никита, — а ты че, сам позвонить ему не можешь? Какого черта? Что за дела? Мы ему не картошку с базара привезли.

— Если честно, я сам не знаю, что мы ему на этот раз привезли, — ответил более разумный Стас. — Но мы работали, как всегда, на разрыв. И получилось, что получилось. Вроде все, как он хотел. Хотя я толком не понял... Ребят наших уложили за каким-то хером.

— Вот! Еще и ребят уложили. Пересчет получается. Слушай, позвони, скажи ему: может, нам пойти куда-нибудь с этой информацией.

— Совсем кукукнулся? Тебе легче будет от того, что нас вместе с ним посадят?

— Так я предлагаю не сходить на самом деле, а ему так сказать. Сам ты кукукнулся!

Никита взял со стола свою финку, с которой не расставался, как дурень со ступой, и, как всегда, успокаивая нервы, стал бросать ее в кружки на стенах. Стас задумчиво смотрел на телефон, и вдруг он зазвонил.

— Але... Это кто, я не понял? А откуда у вас этот номер? А кто сказал? Это как? А... А че нам бояться? Сейчас подъедем.

Он посмотрел на Никиту озадаченно.

— Звонил какой-то кент. Вроде инфа есть, что кинул нас Костя. Говорит, что он договоры наши аннулировал, вроде по бумагам мы у него вообще не работали сроду.

— А нам что за разница, как по бумагам?

— Не знаю. Этот хмырь говорит, значит, кинул.

— Откуда он знает?

— Сказал, новый охранник там. Они ж переехали, всех поменяли. А он типа знал бандюг, которых уложили. Вы б посмотрели, говорит. Может, тогда с кого другого можно поиметь.

— И чего?

— А того. Стрелку назначил. Бумаги покажет. Сфоткал. Они, сказал, тоже денег стоят.

— Погнали. — На слове «денег» Никита встал.

...Константин Петров вдохновенно обустраивал новый офис. Корпорация переехала в небольшой особнячок в центре, и тут все было совсем на другом уровне. Константин уже несколько раз менял мебель в своем кабинете. Как-то не получалось схватить тот безупречно добротный стиль, каким отличался офис Осоцкого. Он рассматривал свой письменный стол с кнопками вызова секретарши, охраны, когда дверь кабинета вдруг распахнулась и на пороге появились Стас и Никита.

— Вам чего нужно? Вы как сюда вошли? Я что, вызывал вас?

— Так ты нас не вызывал, — заявил Стас, глядя на него подозрительно блестящими глазами, хотя в остальном казался абсолютно трезвым.

— В чем дело?

— Рассчитаться бы надо, хозяин. — Никита чистил ногти острием финки.

— Чего-чего? — издевательски переспросил Костя. — За что рассчитаться и с кем?

— За работу, — объяснил Стас. — За Леонтьева нехилый должок остался. Ты сказал, что как бабки упадут, так сразу... Потом бухгалтера заказал, велел с киллером расплатиться... Потом всех замочили, как ты хотел. Где наша доля?

— За работу! — Костя издал короткий, истеричный смешок. — Да за какую работу?.. Вы ж все просрали. Другие люди за вас работу сделали, ваших придурков уложили, они ни с чем не справились. Мента, которого я прислал для подстраховки, чуть не убили. А он как раз вашу работу и сделал. Сейчас еще и сесть может. За превышение. Я два лимона на это отдал! Вы мне до могилы теперь должны долги выплачивать, вы поняли, суки позорные!

— Ты что сказал! — Никита приблизился к его столу. — Повтори!

Константин быстро взглянул в его тоже странно блестевшие глаза и протянул руку к кнопке вызова охраны. Он вдруг с ужасом увидел, как Никита заносит руку, словно для того, чтобы метнуть финку, и наклонил голову к столу... Финка, которая должна была попасть в руку, пробила ему сонную артерию. У напарников отвисли челюсти, когда фонтаном забила кровь, заливая стол, а рука Петрова конвульсивно продолжала нажимать кнопку вызова...

Земцов с командой влетел в здание, они опередили дежурный наряд, у кабинета президента корпорации их догнал Сергей Кольцов.

— Вы свободны. — Земцов показал наряду свое удостоверение. — Работает отдел по расследованию убийств.

Приехали «Скорая помощь», эксперты. Стаса и Никиту в наручниках повели на выход.

— Слава, — сказал тихо Сергей, — перед допросом хорошенько осмотри их одежду. Там должны быть записывающие устройства весьма нестандартного вида. Николаев все приобретает первым. Он сказал, что все признания Петров практически сделал.

— Не хочу с тобой ссориться. Не тот момент. Но этот буйнопомешанный послал их на убийство, так получается? И по всему они сейчас под наркотическим кайфом!

— Конечно, нет, — убежденно произнес Сергей. — Он просто предложил им потребовать свои честно заработанные на заказных убийствах деньги. Разговор они должны были записать для шантажа, к примеру. Или для явки с повинной. Но у этих людей не выдержали нервы! Может, был и кайф, но ты же понимаешь, что это за люди. Тут Николаев точно ни при чем. Кто мог это предусмотреть? Мой заказчик Коля Кузнецов расстроится. Он Петрова Костиком называет. Скажешь, когда Коле можно пойти на поправку.

— Так ведь Осоцкий же... — саркастически заметил Слава. — Вы ж считали, что он основной заказчик.

— Из записанного диалога это не вытекает. Они во всем обвинили Петрова, а он не отрицал. Осоцкого это устроит, полагаю.

Глава 14

— Костика убили? — Коля смотрел на Сергея задумчиво. — Как-то странно, неожиданно... А как это произошло?

— Очень просто. Бандитская разборка. Твой Костик — бандит и убийца по сути. Не заплатил за работу своим псам — они его зарезали. Они пришли к нему с диктофоном. Диалог записан. Фактически он успел признаться в том, что заказал убийства своего заместителя и Марины. Ждем сигнала следователя. Потом ты на поправку пойдешь.

— Даже не знаю. Я уже здесь привык. Ты знаешь, люди тут гораздо оригинальнее обычных. Возьмем, к примеру, того, кто постоянно пытается себе глаза вставить, поскольку ему кажется, что они выпадают. Я с ним побеседовал. Очень любопытно. Его заблуждение — вовсе не заблуждение. Это потребность интеллекта овладеть каким-то более значительным, дальним зрением... Ты меня понимаешь?

— Да, елки-моталки, чего ж тут не понимать. Ты заражаешься. Мы получим полного шизофреника, если сейчас тебя не вытащим. Ты уже на меня смотришь не обычным, а каким-то дальним зрением. А твой слепой Грэй между тем живет у меня. Отличный пес. Ничего не видит, и тем не менее с интеллектом у него все в порядке.

— Значит, Егор его продал... За сколько?

— Тысяча восемьсот пятьдесят.

— Понятно. С Егором все понятно. Любой психиатр скажет, что нервы у него в норме. Это адекватная цена за пса-инвалида. Да, мне нужно домой. Я его заберу. А Марина... Что будет с Мариной? Она вернется?

— Это немного сложнее, чем с тобой. Не исключено, что тебе придется брать на себя ответственность за идею ее спасения. Все зависит от угла зрения следователя. А он не все наши действия считает естественными. Если тебе предъявят обвинение, у нас есть адвокат, который сделает тебя национальным героем. Не уверен, правда, что это освободит тебя от срока. Надеюсь, условного.

— Какие неприятные вещи ты мне говоришь. А у меня еще колено болит. Мне нельзя расстраиваться. Хотя я ничего не имею против роли национального героя. Здесь таких много.

Сергей ехал из клиники со сложным чувством. Совсем как хирург, который кричит: «Скорее, мы его теряем». Люди не рассчитаны на слишком лихие повороты судьбы. А этот Кузнецов явно был рожден для того, чтобы, как Диоген, сидеть в своем оранжевом джакузи. Как он психологически вытащит себя из таких потрясений... Как ему помочь, если он уверен, что самый умный. Даже в дурдоме. И является ли задачей частного детектива реставрация уникальных личностей, которые попали в мясорубку... И Ольга — необычный человек, и Алексей — не каждый второй. А Марина Романова — вообще прелесть. Они ее привезут, а тут такой сюрприз со стороны мужа. Сергей был почти уверен в том, что не ошибся насчет отношений Александра Романова с той женщиной. Чуйка, как говорят, его редко подводила. Но все это вопросы завтрашнего дня. Пока нужно разбираться с преступлениями, в результате которых одна девушка — в морге с простреленной головой, а вторая по ее документам — в Швейцарии. И в чем действительно прав Земцов: совершенно не факт, что Ульяна Леонтьева причастна к убийству или даже в курсе того, что оно совершено.

Сергей набрал телефон Земцова.

— Как дела?

— Что касается постановочной, так сказать, части, все идет по плану вашего Николаева. — Слава ни на минуту не забывал о том, что ему необходимо дистанцироваться от Николаева. — Показания задержанных совпадают, не противоречат диктофонной записи последнего разговора с Петровым. То есть исполнители убийства Виктора Леонтьева — у нас, Петров признал перед смертью, что он заказчик. По поводу планируемого убийства Романовой Петров тоже все подтвердил перед гибелью, сама картина у задержанных, естественно, сумбурная. Одни впечатления. Что тоже понятно. Подбираемся к Осоцкому... Как подобрались, так, похоже, и отвалились. Я позвонил ему, соединили достаточно быстро, все были очень любезны. Он — еще любезнее. Сообщаю ему: такая, мол, случилась неприятность с вашим партнером Константином Петровым. Убит во время встречи с наемными убийцами, которые признались в том, что взорвали Леонтьева по его заказу, курировали убийство бухгалтера Романовой. Он был удручен, потрясен, только заметил: «Помилуйте, он, конечно, еще не стал моим партнером. Я присматриваюсь ко многим бизнесменам, помогаю их становлению, но для серьезных партнерских отношений нужно пуд соли съесть... Что касется Леонтьева, вы знаете, было у меня подозрение. Но раз следствие решило иначе...» Вот такой жук. Попросил его принять участие в расследовании по вновь открывшимся обстоятельствам. «Я со всей готовностью, но, вы понимаете, столько встреч на высшем уровне, подписаний... Но вы звоните. Чем смогу, помогу».

— Что и следовало ожидать. Сейчас, полагаю, деньги, направленные Петрову, будут отозваны, те, что сразу не были переведены на липовый счет. Вся информация о деловом сотрудничестве с корпорацией «Просвет» исчезнет. Что у нас в плюсе: если мистификация с убийством и похоронами Марины будет легализована, публично объявлена полицейской операцией по спасению жертвы заказного убийства, Осоцкий оставит ее в покое. Она ему больше неопасна. Костя уже на него не покажет. Лучший партнер — это мертвый партнер.

— Ты хочешь сказать, что я этот цирк должен взять на себя? Фигушки. Пусть твой Кузнецов за это сидит. Ну, и ты, может быть. Николаев мне даже в качестве резиновой груши неинтересен.

— Слав, давай не будем, а? Думаю, этот вопрос даже ты решишь в интересах Марины Романовой.

— Даже я! То есть кирзовый сапог среди таких гуманных и продвинутых личностей...

— О боже! Еще и комплекс неполноценности. Ладно, я хочу отвлечься от борьбы амбиций. Хочу поездить по своим гламурным клиенткам. Поспрашивать, что все-таки говорят о Виктории Князевой и Осоцком. И Ульяне Леонтьевой и Осоцком. Последней он приходится чуть ли не папашей. Что-то тут должно быть, как ты думаешь?

— С этим — к гламурным телкам. Моим умом этого не понять. Ой, ты опять меня заговорил! А что за два миллиона мои подследственные отвезли на квартиру Кузнецова до начала вашей операции? В смысле — где эти миллионы?

— Слава, ты шутишь? Ты считаешь, что Костя Петров мог кому-то дать два миллиона? Тем более такому лоху, как Кузнецов? Я даже не стал тебе этой ерундой голову морочить. Он прислал ему с этими ребятами корзину с «куклой». Я сам видел. Мы выкинули все на помойку.

— Такая, значит, для меня версия. Хорошо. Есть один источник, который мне никогда не врет. С тобой потом договорим.

Слава разъединился и набрал телефон Масленникова.

— Здравствуйте, Александр Васильевич. Я тут допросил убийц Петрова. Все как по нотам Николаева. Кроме одного. Ни от кого из вас я ничего не слышал о двух миллионах евро, которые Петров выплатил Кузнецову, считая, что тот убил Марину Романову. А?

— Слава, ты меня хорошо знаешь, — задумчиво сказал Масленников. — Когда я обнаруживаю в одежде убитого серебряную монетку на счастье, я составляю протокол, оформляю ее как ценность, передаю родственникам. Петров пообещал Кузнецову гонорар за убийство. И, если бы у нас вышло его получить... Я бы впервые в жизни за честь посчитал отобрать чужие деньги. Это деньги убийцы и вора. У нас Николаев всю операцию провел за счет своей фирмы или даже за личный счет. А он, между прочим, занимается благотворительностью: госпиталям помогает, детям погибших солдат, воинам-инвалидам... Да, я бы за честь посчитал, сказал бы ему: возьми, отмой эти грязные деньги, но не в привычном понимании, а на самом деле от крови и запаха преступления. Пусть они послужат добру. Но, разумеется, Петров обманул Кузнецова. «Куклу» прислал... Что и следовало ожидать...

— Спасибо, — еще более задумчиво сказал Слава. — Во всей этой истории я могу верить только вам.

— И тебе спасибо, друг. Слава, сейчас, когда страсти в нашем тесном кругу вроде бы улеглись... Надеюсь, следствие правильно оценит гражданский поступок Кузнецова? Никакой притянутой за уши ответственности не может быть за то, что он в одиночку бросился спасать от банды незнакомую девушку! Рискуя собственной жизнью...

— Согласившись перед этим ее же и убить за деньги.

— Это судьба. Как иначе он узнал бы о готовящемся преступлении...

— Я вот что скажу. Всю вашу петрушку мы прикрыли оперативной необходимостью. Кузнецов у нас типа внедрен. Игрушечное следствие Иванова тоже прикрытие настоящего. Я с ним в контакте. Только памятник Кузнецову на родине пусть ставит Николаев. Я не хочу иметь ничего общего с авантюристами. Другое воспитание. Можно? Вы мне это простите?

— Слава, я тебя очень уважаю, — искренне сказал Масленников. — Ты настоящий.

После этого разговора Слава еще какое-то время смотрел на телефон. «Значит, «кукла», значит, благотворительность... Я действительно кажусь таким тупым?»

Масленников у себя с удовольствием закурил, улыбаясь. «Отличный Слава парень. Честный. Зачем ему лишняя головная боль?.. У него же есть друзья».

Глава 15

Масленников сидел в своем кабинете и читал перехват разговоров московского абонента с обитателями шале в Швейцарии. Буквально несколько фраз, практически никакой информации, ясно лишь одно: и звонивший, и пара, с которой он выходит на связь, знают, что обладательница документов, по которым выехала Ульяна, убита. Степень ее причастности не просматривается. Смысл всей интриги никак не объясняется. Звонит Ульяне и Димитрису Костаки московский юрист Григорий Сидоров. Небольшая практика, консультации в очень узком кругу богатых клиентов. Земцов решил пока никого не трогать, продолжать слушать, что-то искать. И он прав: нужно дождаться хотя бы минимальной зацепки. Намеком на такую зацепку может служить несколько таких же невыразительных звонков Сидорова матери

Ульяны — Марии. То есть в этом замешана вся семья. Семья, которую ну никак невозможно заподозрить в причастности к убийству. Даже если обе девушки где-то встречались, даже если у них были общие знакомые, каким может быть мотив убийства... Чтобы завладеть документами и привлечь к себе внимание? Ерунда какая-то. Петру Князеву звонили и присылали СМС с телефона Виктории. Сейчас этого номера не существует. Димитрис Костаки четырнадцатого августа, на момент убийства Виктории Князевой, был в Швейцарии. Чем занимался в этот день Григорий Сидоров, Земцов аккуратно проверяет. За это время киллер мог уехать куда угодно, но следы убийства навсегда остаются там, где оно совершено. Это убеждение Масленникова. Когда он так говорит, то имеет в виду не прямые улики, а таинственную ауру убийства, которая рано или поздно все раскроет тем, кто идет по следу. Надо идти.

Раздался телефонный звонок.

— Мне нужен Александр Васильевич Масленников, — сказала незнакомая женщина и, похоже, заплакала.

— Я вас слушаю.

— Меня зовут Нина Валентиновна. Я — мать Александра Романова. Он мне все рассказал про Марину, у него на столе ваш телефон. Случилось ужасное несчастье. Я просто не знаю, к кому обратиться, что мне делать... Они попали в аварию — Саша и его бывшая одноклассница Надя. Наша соседка. Видимо, она его подвозила. Оба в реанимации в тяжелом состоянии. Я должна быть там. Оставила ребенка с чужим человеком... Свяжите меня с Мариной. Она должна приехать! — Женщина рыдала.

— Вы правильно сделали, что позвонили. Я сейчас свяжусь... с кем надо. Ситуация изменилась. Скорее всего, Марина действительно сможет прилететь, не сегодня, конечно. Есть проблемы. Но мы обязательно вам поможем. Назовите больницу, где находится ваш сын, я подъеду. Вы оттуда звоните?

— Да. Я в коридоре. Меня к нему не пускают. Ничего не говорят.

— Понятно, я скоро буду. Я попрошу кого-нибудь найти профессиональную няню. Мы оплатим ее услуги.

— Кто это — вы?

— Скажем так: следствие, которое занимается раскрытием этого преступления. Преступники, кстати, уже задержаны. Заказчик погиб.

— Да? Никогда не слышала про такое следствие. Когда вы приедете?

— Очень скоро. Не беспокойтесь.

Масленников набрал номер Николаева.

— Андрей, беда. Муж Марины попал в ДТП. Он в тяжелом состоянии.

— У него же нет машины.

— Он был в машине бывшей одноклассницы. Она тоже пострадала. Мать рядом с ним. Ребенка оставила с чужим человеком. Короче, нужна на время профессиональная няня, с которой ты расплатишься. И надо возвращать Марину. Это реально?

— Да... Я полечу за ней и няню посажу к ребенку. Серега сказал, что опасности вроде больше нет. Я, конечно, присмотрю... Слушай, это не странно — какая-то одноклассница?

— Сергей как раз на днях сообщил, что видел его с женщиной и ему показалось, что это не просто одноклассница. Но у него богатое воображение.

— Ничего себе!

— Андрей, люди в реанимации. Я туда еду. До связи.

Александр Васильевич приехал в клинику, к нему в коридоре бросилась заплаканная женщина: «Это я вам звонила». Он кивнул и, поговорив с медсестрой, получил халат, прошел в кабинет заведующего. Вышел минут через двадцать.

— Что???

— Пока ничего конкретного. Лобовое столкновение. ЧМТ у обоих. Вы понимаете, необходимо обследование, возможно, операция... Мы можем только ждать.

— Попросите, чтобы мне разрешили остаться с сыном.

— Не разрешат сейчас. Врачи работают... Я попрошу, чтобы вас устроили где-то, чаю принесли. Вас позовут.

Нину Валентиновну отвели в ординаторскую, выделили ей угол за ширмой, перетащили туда большое кресло. Сестра поставили перед ней стакан с горячим чаем, предложила сердечные капли. Она отказалась. Но присутствие Масленникова немного ее успокоило.

— Я хочу вам сказать, что поисками няни уже занимаются, вопрос с приездом Марины тоже решается, — сообщил он.

— Спасибо. Это произошло, потому что мы с Сашей жили как в кошмарном сне. Вы не поверите, но я всю их совместную жизнь жду какой-то беды. И они случаются, эти беды.

— Вы с чем-то конкретным это связываете?

— Связываю... Я всегда считала, что они не подходят друг другу. Это трагическая случайность, но мне еще со времени учебы Саши в школе хотелось, чтобы он был вместе с Надей. Она очень хорошо к нему относилась... Больше, чем хорошо. Все это знали. Она и замуж не вышла. А он увидел Марину и влюбился как сумасшедший. Я всегда боялась таких чувств. Они не укрепляют семью, а разрушают людей... Саша очень изменился.

— Сейчас главное, чтобы он поправился.

— Да, конечно. Просто... С Надей никогда не могла бы случиться такая дикая история, как с этим... убийством Марины.

— Вы несправедливы. Марина — жертва. Ее спасли в последний момент.

— Извините, я не могу об этом говорить и даже думать. Саша тоже не мог. Он очень страдал, не понимал. И вот...

Глава 16

Моника Ступишина провела Сергея в свою жеманную гостиную с белой мебелью, невинными розовыми и голубыми пледами, штучками и дрючками.

— Слушай, ты не поверишь, но я как раз думала о тебе. Ты знаешь, за кого я замуж выхожу?

— Пропустил как-то, извини.

— Ну как... — Моника была разочарована. — Все знают, а ты... За Федю Бондарева! Знаешь его?

— Нет, к моему великому стыду.

— Ну, ты вообще. Он — клипмейкер известный. Хочешь, покажу его работы?

— В другой раз. Или я сам найду в Инете, ладно? Обожаю клипы.

— Ладно. Выпьешь?

— Ну, так, символически. Мне за рулем еще долго сидеть.

— А ты просто так или по делу? — спросила Моника, доставая напитки из бара. — Сам бери что хочешь.

— Я информацию одну хотел проверить. Уточнить кое-что.

— Говори. Только подожди. Раз уж ты пришел, давай договоримся. Ты на меня поработаешь, как тогда?

— Что такое! Вы еще не поженились, а он уже как тот?

— Да нет. Я не знаю. Я для подстраховки хочу про него все узнать.

— И если узнаешь, не выйдешь за него?

— Выйду. Только буду знать! — Моника посмотрела на Сергея гордо, как полководец, продумывающий план сражения.

— Сейчас я занят вообще-то, но как только, так сразу, хорошо? Правда от нас не уйдет, веришь?

— Конечно. Я только тебе и верю. Ну, так чего ты уточнить хотел?

— Есть такая девушка — Виктория Князева. Ну, в Инете она везде, красивая.

— Ой, не смеши меня. Она — красивая? На мартышку похожа, кривляется, пялится на всех мужиков... И вообще она — никто.

— Ну, я, может, не так выразился. Не в том суть. Просто интересно: это правда, что она с Василием Осоцким в каких-то отношениях была и чем-то его шантажировала?

— Ох. — Моника долго и ненатурально хохотала. — Ты меня уморишь сегодня. Давно я так не смеялась. Это кто тебе такое в уши надул?

— Некто Курочкин, знаешь?

— А то. Клоун. Он скажет! Василий Осоцкий к этой жалкой потаскушке на пушечный выстрел бы не подошел. Если бы, конечно, вообще ее заметил.

— Ты или ее сильно не любишь, или мы говорим о разных девушках. Та, которую я видел на фото, не жалкая точно. Насчет остального — я не в курсе.

— Ладно. Ты как мужик вообще права голоса в этом вопросе не имеешь. Вам все сгодится.

— А почему Василию Осоцкому не сгодится?

— Да знать он ее не знает, честно тебе говорю. С Вадимом Осоцким у нее что-то было, это да. Но с него что взять? У него с крышей не все в порядке.

— Не понял, а кто такой Вадим Осоцкий?

— Сын Василия Осоцкого! Кто из нас сыщик? Его она пыталась охмурить, думаю, был какой-то трах... Потом вроде на самом деле с какими-то предъявами возникала, что-то выложить обещала. Моя подруга слышала, как они ругались в клубе. Только мы этого счастья не дождались.

— Да, ошибка, наверное, вышла. Может, моя. Курочкин мне, кажется, имени не называл, я просто не знал, что есть сын.

— А с какой стати ты вообще с Курочкиным общался, да еще про Вику эту?

— Да так как-то по одному делу заглянул... Ладно, до созвона. Насчет будущего мужа не беспокойся. Мы его на одних клипах разоблачим.

— Точно... — потрясенно произнесла Моника. — Там же модели... Ты гений.

Поскольку сам Сергей в данный момент гением себя точно не считал, он решительно направился к человеку с более высокой самооценкой.

Николаев стоял на пороге своего кабинета, вид как всегда — полководец на боевом коне, пропустил Сергея, отдал команду.

— Давай быстро. Я лечу за Мариной. Ее муж разбился вместе с какой-то женщиной. Масленников сказал, ты вроде их видел...

— Да... Ничего себе! Они живы?

— Живы, но в реанимации, что значит — ничего не известно. Мать его там, ребенку я няню нанял, Марину возвращаю.

— Считаешь, это безопасно?

— Присмотрю и за ней, и за Осоцким, и за нашим киллером. Но, конечно, ситуация не очень. Что у тебя?

— Ну, если ты не в курсе... Оказывается, у Осоцкого есть сын — Вадим...

— Ну, есть. В чем проблема?

— Убитая девушка общалась именно с ним, а не с отцом. Что-то у них было, потом она вроде хотела продолжения, угрожала какие-то материалы в Сеть выложить, возможно, сексуального характера... Ты о нем что-нибудь слышал?

— Я в эту историю с убитой девушкой не вникал, сам знаешь, некогда. Может, потом. А что я слышал о Вадиме Осоцком... И слышал, и видел его не раз. Он меня ни по какому поводу пока не интересовал, но одно скажу точно: Осоцкий сильно погорячился в ночь его зачатия. Надо было презерватив надеть. Мозги у парня больные. Не знаю, как насчет девушек, а оружие он скупает в неограниченных количествах. Стрелков нанимает без всякой конкретной цели. Похоже на манию преследования и на все остальные мании.

— А чем занимается по жизни?

— Ну, чем... Владелец подаренного папашей бизнеса, которым управляют другие. Бездельник, короче. Слушай прикол: я как-то с ним встречаюсь в клубе, где бои без правил. Подхожу спокойно, спрашиваю: «Сынок, ты зачем у меня профессиональных работников пытаешься переманить?» Он смотрит на меня, как волчонок, которому на хвост наступили, и отвечает: «Без комментариев. С вами будут разговаривать другие люди». Как это тебе?

— Никак. Похоже на то, что ты сказал выше. Как ты думаешь, он мог убить девушку, то есть заказать?

— Да на раз! По девушке в сутки. И никто не узнает. Если, конечно, следствие не попросит меня разобраться.

— Оно попросит. Интересно, Андрей, а какие отношения у отца с сыном?

— Да ясно какие. Сынок является большим геморроем для папаши. Он его всю жизнь пасет, из ж... вытаскивает, в общем, цветочков от него в день рождения не ждет. Ты понимаешь, Василий Осоцкий, конечно, вор, на нем кровь тех, кто ему дорогу перешел. Но по определенным понятиям он в адеквате. Ничего лишнего, только то, что требуют деньги. В общении приятный человек, говорят. А вот парень его — бракованный. Ладно, пошли. Мне некогда. Вы уж как-нибудь сутки без меня продержитесь.

Глава 17

Они подлетали к Москве. Марина сидела молча, крепко сцепив руки на коленях. Она уже не смотрела на Андрея. И так знала, что он не сводит с нее глаз. «Беспокоится», — думала она. Но говорить не могла ни о чем. Когда он сообщил ей, что муж пострадал в ДТП с женщиной по имени Надя, Марина просто кивнула:

— Это его одноклассница, наша соседка. Видимо, подвозила.

Никакой другой версии у нее и быть не могло. Но душу терзало сознание собственной вины. Была она или нет, но терзала. Череда сумасшедших событий, стресс, крах всей их вроде бы спокойной жизни... Встречи с Колей... Это вообще непонятно что. Ну, и Андрей. Спас ее, конечно. Но что ж он такой прямолинейный: пялится и пялится, не отрывая глаз. Она рядом с ним чувствует себя защищенной. Он ей даже приятен, но невыносим... Сейчас, по крайней мере. Ей хочется спрятать от него свои чувства. А он не желает, чтобы от него что-то прятали. Такой человек. Она подняла на него глаза, улыбнулась вымученно:

— Андрей, милый, ты меня просверлил взглядом. Я сейчас залезу под сиденье. Я плохо выгляжу.

— Я смотрю и думаю о том, что ты слишком хорошо выглядишь. Потому и притягиваешь внимание и, как следствие, неприятности.

И еще типов с придурью типа Кузнецова. Марина, я ни на что не претендую. Просто хочу быть неподалеку. Ты свистнешь, если понадобится, а я...

— А ты — тут как тут, с пулеметами, гранатометами, самолетами и трудно даже придумать, с чем еще. — Она искренне рассмеялась. — Ты необыкновенный человек, только поспи, а? Еще есть полчасика. Мне нужно подумать.

...В машине он спросил:

— Куда сначала? Домой, к ребенку, или в больницу?

— К Саше, конечно, — ответила она. — Тёма же с няней. Я лучше потом к нему приеду, чтобы нам побыть вместе до утра. Спасибо тебе за игрушки. Не стану их распаковывать, знаю, что ты точно выбрал то, что понравится мальчику. Даже моему трехлетнему котику. Он уже с характером: «Я знаю», «Я умею», «Я хочу»...

— Серьезно? — Лицо Андрея просияло, как будто она ему рассказала про его ребенка. — Отличный парень!

Они расстались у входа в больницу, там Марину встретил Александр Васильевич, провел в реанимацию, познакомил с заведующим отделением. Потом проводил ее до ординаторской.

— Там вашей свекрови выделили уголок, поскольку уходить она отказалась. К сыну ее пока не пускают. Вас пустят. Сразу скажу: все расходы на операции и лечение обоих пострадавших оплачивает Николаев из денег Коли Кузнецова. Так что этот вопрос пусть вас не беспокоит.

— Коли? Откуда у него деньги? — испуганно спросила Марина.

— Ну, как, — невозмутимо ответил Масленников. — Это гонорар за ваше убийство.

— Господи, какой ужас.

— А вот и ваша свекровь. Нина Валентиновна, Марину привезли, оставляю вас, звоните.

Нина Валентиновна молча кивнула невестке. Лицо ее осталось таким же неподвижно-скорбным, только глаза повлажнели. Марина ее обняла и всхлипнула.

— Они сказали, что пустят меня к нему.

— Да, — отстранилась от нее свекровь. — Матери — нельзя, а тебе — можно.

В это время вышла медсестра, помогла Марине облачиться в халат, надеть бахилы, завязать марлевую повязку, и они ушли. Нина Валентиновна стояла прямая, напряженная, затаив дыхание. Марина вышла через пятнадцать минут. Встала рядом, стянула повязку, потрясенно помолчала.

— Что? — спросила Нина Валентиновна.

— Я даже не уловила его дыхания... Но они сказали, что состояние стабильно... тяжелое. Значит, есть надежда. Вы же знаете, они делают все возможное...

— Знаю.

— А как с Надей? Я не успела спросить.

— Так же... У них и в школе все совпадало. Вместе двойки получали, вместе на катке падали...

Марина посмотрела на свекровь внимательно. Она хочет сказать больше, чем сказала?

Марина пробыла в больнице до вечера. Ее пригласили на кухню, и она принесла ужин и горячий чай для свекрови. Потом Николаев прислал за ней машину, и она поехала домой. В свою квартиру! К своему ребенку! Она открыла дверь, поздоровалась с приятной, полной няней, влетела в детскую и, не помыв рук, схватила теплого малыша в пижамке, который выстраивал на ночь перед своей кроваткой игрушки. Он любил на них смотреть, когда просыпается. Он нисколько не удивился, только сказал: «Как ты долго!» Счастье их было ярким, как детский короткий сон. Когда ребенок уснул, Марина попросила Бога, чтобы ночью не звонил телефон, чтобы утро подольше не наступало, чтобы дитя дышало и сопело так же спокойно и удовлетворенно. Игрушки теперь стояли в два ряда, в первом те, что купил Николаев и привезла Марина.

Утром зазвонил домашний телефон, мобильного у Марины еще не было.

— Здравствуй, — сказал Коля. — Мне сообщили, что ты в Москве. Ты действительно в Москве?

— Коля, ты звонишь по домашнему телефону. Как ты думаешь, где я?

— Мне просто хотелось, чтобы ты сказала: я в доме, рядом с которым растет дуб.

— Я здесь. В этом доме...

— Так я пробиваюсь на выход...

— Слушай, пожалуйста, не делай ничего ненормального. Пусть они сами тебя выпустят и привезут... По дороге домой можешь к нам заглянуть... на минутку.

— Ты не понимаешь, Марина. В том месте, где я нахожусь, неприлично вести себя как нормальный. Поэтому мне здесь так комфортно. Я придумаю что-то веселое, и мне вслед будут бросать букеты из медицинских документов, тапочек, вилок и капустных листьев. Не уходи. Я скоро буду. Да, а как ты там появилась? Жертв не было? Я имею в виду — они ж тебя похоронили.

— Николаев уже объявил по дому, что мое исчезновение было оперативной необходимостью для поимки бандитов. Они пойманы.

— Мудрец! Как всегда. Шашка наголо, мозговые извилины не извилистые, а прямые и острые, как лезвия бритвы.

— Коля, перестань валять дурака. Ты знаешь, какая у меня беда. Долго дома быть не могу. В больницу нужно.

— Я понял.

Марина положила трубку, с неудовольствием заметив, что улыбается. Но он реально смешной. Она позвонила Николаеву.

— Андрей, доброе утро. Коля собирается пробиваться на свободу. Очень прошу: помоги ему... Не возражай. В конце концов, все получилось не только благодаря твоей храбрости, но и деньгам, заработанным им на моем убийстве. Теперь вот Саша с Надей лечатся на них.

— Ты говоришь как человек, пообщавшийся с пациентом дурки. Как впечатлительный человек. Ты что, считаешь, если бы не было этих денег, я бы тебя не спас?! Это просто бонус, так сказать. Дают, почему не взять?

— Я, разумеется, считаю, что ты спас бы меня в любом случае. Как и всех нас. Спаси Кольку, пожалуйста. Это ужас, где он находится. Он такие странные вещи говорит.

— Так псих же, — объяснил Николаев. — Ладно, выпустим его. Он там всем надоел. Самым сумасшедшим оказался.

Глава 18

Команда Земцова подъехала к дому Вадима Осоцкого на нескольких машинах. Сергей сидел в первой рядом со Славой.

— Ты думаешь, он будет стрелять? Я что-то не понял, зачем мы целую армию привезли? — спросил Сергей.

— Я вообще не думаю о том, что ему взбредет в голову. Пригласил его по телефону для разговора, прислал людей с повесткой — реакция хамская. Поэтому мы приехали, готовые ко всему.

Машины распределились по периметру забора. Слава и Сергей начали переговоры с охраной, не без труда заставили охранников соединить с хозяином. Разговор с ним был трудным, явно затягивался, все решила простая фраза Земцова.

— В таких ситуациях человек, который значится у нас свидетелем по делу об убийстве, доставляется для дачи показаний принудительно. И мы к такому повороту готовы. Если окажете сопротивление, оно будет использовано против вас, как вы сами, надеюсь, понимаете. Не ребенок.

Их пропустили. Вадим Осоцкий стоял на дорожке перед домом, смотрел неприветливо. Он оказался высоким парнем с красивым, правильным лицом, которое страшно портил настороженный, колючий, недружелюбный взгляд. Сергей мельком увидел странные строения по всему двору. Возможно, в них Вадим хранит оружие, о котором говорил Николаев, или у него там сидят стрелки.

— Вадим Васильевич, — спросил Слава, — мы можем пройти в дом?

— А здесь нельзя?

— Нет, — отрезал Слава. — Мы не подышать воздухом приехали.

И, не дожидаясь приглашения, направился к входу на террасу. Осоцкий двинулся за ним, Сергей — следом, за Кольцовым — еще четыре оперативника. Добротная обшитая деревом терраса с очень жесткой мебелью вполне подходила для разговора. Слава жестом пригласил хозяина сесть на стул, они с Сергеем сели напротив. Сотрудники остались стоять у входа.

— Почему вы в грубой форме отказались приехать в управление? — спросил Слава.

— Потому что у меня есть другие дела.

— Когда расследуется убийство, ни у кого, кто может обладать информацией, более важных дел нет. Давайте приступим. Вы поняли, что четырнадцатого августа было обнаружено тело зверски убитой девушки, которая теперь опознана как Виктория Князева?

— Да. А при чем здесь я?

— Вы близко ее знали. Такая у нас информация. У вас были непростые отношения. Есть свидетельница, которая слышала вашу ссору. Виктория угрожала вам публичным скандалом: собиралась выложить в Интернете какие-то материалы. Вы знаете, о чем речь?

— Понятия не имею.

— Но ссора была?

— Не помню.

— Она была. Это происходило в клубе, мы найдем и других свидетелей. Вы угрожали Виктории во время этой ссоры?

— Нет.

— А нам сказали, что угрожали.

— Я не помню.

— Понятно. Сотрудничать вы не желаете. Ставлю вас в известность о том, что мы проверим не только ваше алиби, но и алиби всех ваших работников, стрелков, которых вы нанимаете с необозначенной целью. Виктория Князева была убита в одном месте, затем перемещена в другое. Люди, которые ее нашли, дают показания. Мы вернемся к вам в ближайшее время с ордером на обыск. Пока вы дадите мне подписку о невыезде, поскольку я счел подозрительным ваше желание избежать выяснений. Не говорю уже о том, что других фигурантов, которые бы угрожали Князевой расправой, пока у следствия нет.

— Я буду жаловаться.

— Ваше право. Но при попытке скрыться вы будете задержаны уже в качестве подозреваемого.

Парень явно сник. Слава и Сергей встали, направились к выходу, Кольцов вдруг резко повернулся:

— Вадим Васильевич, а с Ульяной Леонтьевой вы давно виделись?

— А при чем здесь она? Я не помню.

— Я заметил, что у вас проблемы с памятью. А где она, вы в курсе?

— Нет. Мне сказали, что она уехала отдыхать. Не сообщили куда.

— Кто сказал?

— Ее мать и мой отец.

— Хорошо. Мы проверим ваши слова.

Сергей и Слава пошли, но Вадим Осоцкий их окликнул:

— Эй, а при чем здесь Ульяна?

Они синхронно пожали плечами и покинули гостеприимный дом радушного хозяина.

В машине Сергей сказал:

— Он, конечно, сейчас звонит папаше.

— Скорее всего.

— Значит, папаша появится у тебя.

— Соглашусь и с этим. Ты знаешь, есть одна особенность у всех этих бугров. За себя они всегда уверены, что отобьются, следствие задавят, им все нипочем. А когда вопрос касается отпрысков, тут нервы сдают.

— Мне кажется, дело в том, что они сами не знают, чего ждать от собственных детей. Кстати, если Василию Осоцкому станет известно, что у следствия есть орудие убийства и человек, которому это орудие принадлежит, вывозил тело убитой Виктории со своей террасы... Ты понимаешь, как на тебя будут давить и как тяжело будет выкарабкаться из этой истории Алексею Васильеву? Если тебя отстранят, он сядет за убийство.

— А я могу сесть за превышение. Сережа, мы что, в страшилки будем сейчас играть? Мы работаем.

Глава 19

Марина и Коля просто сидели рядом, не глядя друг на друга. Что тут скажешь. Событий — море, они текут по каким-то своим законам... А то главное, что тихо, ненавязчиво возникает между ними, когда они оказываются рядом, — об этом говорить нельзя.

— Мне нужно в больницу, — сказала Марина. — Сейчас приедет машина от Андрея. Хочешь, останься здесь. Няня заодно и тебя покормит. Поспишь. В твоей больнице, наверное, все мешали — пели и плясали.

— А она меня манной кашей будет кормить? Я ее обожаю.

— Какие проблемы?

— Здорово. Только я, наверное, съезжу к себе, вдохну, как говорится, запах родины, потом, возможно, вернусь за кашей. Скажи своему пареньку, чтобы немного оставил бедному дядемиллионеру.

— Тогда давай поедем вместе на этой машине, ты выйдешь где удобно.

— Нет! Машину Николаева я своим присутствием точно осквернять не буду.

Он вышел раньше, встал под надежным дубом, дождался, пока выедет со двора машина с Мариной. Остановил такси и попросил ехать за ними. В больничном дворе устроился на скамейке, полюбовался деревьями с золотыми листьями. Как-то привыкаешь к больничной обстановке.

Марина быстро вошла в отделение реанимации и по лицу Нины Валентиновны, которая ее встречала, сразу поняла: что-то случилось.

— Саша?

— Нет. Надя умерла сегодня ночью. Я не стала тебя будить. Саше как раз лучше. Он пришел в себя, уже говорит... Врач сказал, что она приняла основной удар, поскольку была за рулем.

— Боже мой, — заплакала Марина. — Как ее жалко. Умереть вот так, ни с того ни с сего... Все у нее было хорошо.

— Да. — Нина Валентиновна смотрела на Марину нерешительно. — Я хочу тебя предупредить: врач сказал, что Саша звал Надю, когда пришел в себя.

— Ну, понятно, — проговорила Марина. — Ему показалось, что они все еще находятся в той машине. Сейчас схожу умоюсь и пойду к нему. Ему сообщили о ней?

— Кажется, нет. Ты посмотри по состоянию, может, лучше, если ты скажешь, а не чужие люди. Меня тоже сегодня обещали к нему пустить, но я точно не смогу. Потому и ждала тебя, чтобы ты первая вошла.

...Марина приблизилась к мужу тихонько, нежно погладила его бледную руку, позвала. Он открыл глаза.

— Марина... Ты приехала. Хорошо. Что они говорят?

— Что у тебя все будет хорошо.

— Как Надя, не знаешь? Она тоже пострадала? Мне ничего не говорят.

— Сашенька... Надя умерла сегодня ночью. Ее не смогли спасти. Она приняла основной удар. Мне так жалко...

— Этого не может быть! Почему они ее не спасли?!

— Врачи делали все возможное для нее и для тебя... Просто у нее другой случай. А ты будешь жить.

— Зачем? — Александр посмотрел на Марину отстраненно, как на постороннего человека. — Я не хочу, чтобы меня лечили. Я не хочу без нее жить. Марина, мы с Надей решили быть вместе...

Все потемнело перед глазами Марины. Она молча вышла в коридор, стянула повязку, прислонилась к стене. На нее уставилась свекровь. Она все поняла. В первый раз посмотрела на Марину сочувственно.

Этот страшный день мелькал и рвался. Марина ни в чем толком не отдавала себе отчета. Хотелось побыть одной, чтобы во всем разобраться. Но она осталась, делала все, что нужно, на автопилоте. Вечером вышла в темный двор больницы, и на нее налетел Николаев.

— Это ты! Я не ушиб тебя? Я за тобой приехал. Что случилось? Что с ним?

— Саше — лучше. Умерла Надя, с которой он ехал.

— Ну что поделаешь. Царствие ей небесное. Врачи делали все, ты же знаешь.

— Да. Спасибо. Просто Саша без нее не хочет жить. Вот так. Андрей, извини. Я не поеду с тобой. Я просто здесь подышу и, наверное, вернусь туда... А ты поезжай, не беспокойся. Все будет нормально.

— Да, дела... Ничего себе — нормально. Ты точно хочешь, чтобы я уехал?

— Да. В такие минуты женщине не хочется, чтобы ее видели.

— Понял. Я буду на связи. Вот телефон, я тебе купил. Теперь все нормально с номером. Контакт один — я.

— Спасибо. Я буду звонить.

Он шел к своей машине озадаченный. Жизнь играет иногда не по его, а по своим правилам. И он бы в этом лишний раз убедился, если бы увидел, как к Марине подошел его бывший боец — раздолбай Кузнецов, как она ему что-то сказала. Он протянул руку, провел ею по ее щеке. И она горько разрыдалась, спрятав лицо у него на груди.

Глава 20

Сергей вошел в кабинет Земцова, договариваясь по телефону с Николаевым.

— Привет, Слава. Муж Марины Романовой пришел в себя, его спутница погибла. Оказывается, они решили быть вместе.

— Я понимаю, что это прозвучит цинично. Но чем люди занимаются? Жизнь у них у всех висела на волоске, а они затеяли любовь-морковь.

— Да уж. Причем Николаев необычайно взволнован.

— Дела... Надеюсь, Романова не самоубийца... Ладно, вернемся к делам. Что у тебя?

— У меня — сугубо светская информация от моей гламурной подруги Моники Ступишиной. Знаю ее не первый год, за достоверность ручаюсь. У нее глаз-алмаз во всем, что касается других. Проколы у нее бывают только на личном фронте.

— В связи с чем тебе так свезло.

— Однозначно. Итак. Вадим Осоцкий преследовал Ульяну Леонтьеву. Собственно, чтобы вызвать ее ревность, он и затеял интрижку с Князевой, от которой впоследствии никак по-хорошему не мог отвязаться. Леонтьева с ним иногда где-то появлялась, говорят, подарки принимала... А потом вдруг затеяла бурный роман с начинающим бизнесменом Димитрисом Костаки, который приехал в Москву для заключения каких-то контрактов. Дальше — все основано не на документах, естественно, а на эмоциях свидетелей, которые докладывали о своих впечатлениях моей Монике. Вадим рвал и метал. Воспользовался связями отца и разрушил сделки Костаки. Говорят, что угрожал ему и ей убийством (Николаев подтверждает, что для Вадима это характерно, когда он впадает в ярость)... В результате Костаки пришлось покинуть Россию. И вскоре Ульяна отовсюду исчезает, Москву в то же время якобы не покидает, и вдруг мы находим ее в Швейцарии с документами Князевой.

— Ну, и что это за карусель такая?

— Интересная карусель. Получается, что если Князеву убил Осоцкий, то ее документы Леонтьевой передал кто-то другой, без ведома Вадима. Который на самом деле ищет Ульяну, в частности, у Моники недавно спрашивал, с кем она уехала, с кем ее видели в последнее время.

— И что Моника ответила?

— Правду. Что не знает, с кем она уехала, может, одна. Но в последний раз Ступишина ее видела с Григорием Сидоровым, который сейчас и держит связь с парочкой и ее матерью, как нам известно. Что скажешь?

— Да что тут говорить. Погнали к Сидорову.

...Они ворвались в подъезд элитного дома, прошли с удостоверениями мимо окошка охраны, поднялись на третий этаж. На звонок в дверь им никто не открыл. Слава кивнул ребятам, они легко отжали замок, который просто захлопывался. Прямо в прихожей хрипел, пытаясь подняться, человек, вместо лица у него было кровавое месиво.

— Ребята, хозяину воды и «Скорую», — велел Слава. — Серега, давай его перенесем на диван.

Сидорову плеснули водой в лицо, влили несколько глотков в разбитый рот.

— Вы можете говорить, Григорий? — спросил Слава.

Тот кивнул.

— Кто на вас напал?

— Я не знаю.

— Вы сами открыли дверь?

— Да.

— Сколько их было?

— Четыре человека.

— Они требовали у вас деньги?

— Нет. Просто вырвали из рук сотовый, схватили в комнате ноутбук, еще два телефона... Я пытался отобрать. Там много документов... Они... Вот так.

— Григорий, сейчас приедет «Скорая», вам помогут. Один вопрос: в ваших контактах есть Ульяна Леонтьева и Димитрис Костаки?

Глаза Сидорова испуганно забегали. Потом он с трудом произнес:

— Они там есть. Только под условными логинами...

— Ставлю вас в известность. В больнице вы будете под охраной. Как только врачи разрешат, мы вас допросим не только как пострадавшего, но и как свидетеля по делу об убийстве Виктории Князевой.

— Нет, вы ошибаетесь... — Сидоров закатил глаза и потерял сознание.

Оперативники впустили в квартиру врачей «Скорой».

Глава 21

У кабинета Земцова величественно прохаживался Василий Осоцкий.

— Вячеслав Михайлович? — вежливо спросил он, когда Слава открыл кабинет.

— Да, Василий Игнатьевич. Проходите. Мы по телефону уже беседовали насчет гибели Константина Петрова. Я вас узнал: видел по телевизору.

— Да, я помню, вы звонили. Просто я никак не мог подъехать, да и прояснить ничего не мог. В смысле и так все ясно. Убийцы убили убийцу. Мы тут же расторгли договор с этой компанией. Трудно найти честных людей. — Он вздохнул, сел на стул у стола Славы, помолчал, ожидая, когда тот сам начнет говорить.

Земцов тоже молчал, разбирая бумаги, что-то иногда сам себе бормоча, потом ответил на пару звонков. Осоцкий стал нервно подергивать ногой.

— Вы очень заняты, как я вижу. Мы вообще можем поговорить?

— Извините. Жаль, что вы не позвонили заранее, я бы освободил время, а так вам пришлось ждать. Вы по какому вопросу?

— Вы вызываете моего сына по делу об убийстве какой-то девушки, с которой он едва был знаком. Потом являетесь с группой захвата и пугаете его, что он будет доставлен принудительно и привлечен как подозреваемый... Что за дела?

— Обычные следственные действия. Обнаружено тело убитой девушки, причем, по заключению экспертизы, не там, где она была убита. Прошло время, в течение которого ее никто не искал. Потом мы все же вышли на ее отца, он опознал труп. Это Виктория Князева. Ваш сын был с ней знаком... Может, это и называется «едва». Но есть свидетели, которые утверждают, что у них были близкие отношения.

— Ну и что? Он что, в ответе за всех девушек, с которыми у него близкие отношения?

— Да нет, просто именно эта его чем-то шантажировала, а он ей угрожал убийством. Так показывают свидетели. Вы по-прежнему считаете, что мы побеспокоили вашего сына без оснований?

— Подождите. Вы могли просто проверить его алиби. Оно наверняка у него есть.

— Мы не знаем точно до минуты времени убийства, мы не нашли место, где оно было совершено. При таких обстоятельствах трудно просчитать, есть алиби или нет. К тому же ваш сын живет один, без семьи, а его прислуга скажет то, что ему нужно. Мы ни в чем его пока не обвиняем. Просто просим о честном сотрудничестве. Если человек не виноват, то почему не помочь найти преступника? Вы согласны?

— Не уверен. С какой стати все должны терять время, помогая вам выполнять свою работу...

— Вы хотите сказать, что ваш сын отказывается помогать следствию?

— Это пусть он решает. Мое мнение — надо помочь, но в присутствии адвоката.

— Будем рады послушать обоих.

— Хорошо. Я поговорю с сыном. Какой-то бред — допустить, что мой сын способен убивать девушек, с которыми спал или ссорился...

— Да мы такой расклад и не допускаем в принципе. Василий Игнатьевич, что вы можете сказать по поводу увлечения вашего сына оружием? Все эти стрелки, которых он нанимает... Я как раз просматривал списки людей, принятых им на работу. В чем заключается их служба?

— Откуда у вас эти списки?

— В этом заключается моя работа — получать нужные материалы.

Осоцкий долго молчал. Потом заговорил совсем другим тоном — доверительным, Славе даже показалось, что искренним.

— Я понимаю, что при таком стечении обстоятельств все это может показаться странным... Но дело просто в складе характера моего сына. Понимаете, он с раннего детства был очень тревожным, недоверчивым. Непонятно, с чем это связано, у него было все, как вы понимаете... Но родители — не боги. Наш сын не очень счастливый человек почему-то. Я с горечью признаю это. Может, в чем-то я виноват, что-то упустил. Все, о чем вы говорите, — оружие, стрелки... следствие того, что Вадик чего-то боится постоянно. У него что-то типа мании преследования. Только не подумайте, что я готовлю сыну диагноз на случай, если все сложится не в его пользу. Я просто хочу вас убедить, может, вы сами в этом разберетесь. Он так защищается. Ему кажется, что повсюду опасность.

— Конечно, мы разберемся. Вы можете не сомневаться. Но всех этих наемников придется тоже проверять.

— Как была убита девушка?

— Двумя выстрелами в затылок. Пули прошли навылет, лицо обезображено... Поэтому опознание было непростым.

— Вы сказали, ее нашли не там, где убили?

— Да. Тело подбросили на террасу к одному человеку. К ее директору.

— Интересно. А орудие убийства обнаружили?

— Да. Его тоже подбросили к этой террасе. Отпечатков пальцев нет. Это оружие ее директора, видимо, заранее похищенное.

— Ничего себе! И вы заявляете, что мой сын — подозреваемый, чуть ли не единственный?

— Я этого не говорил. Я сказал, что, если он попытается скрыться, мы возьмем его как подозреваемого.

— А этого директора?

— С директором мы работаем. Василий Игнатьевич, неужели вы всерьез полагаете, что человек, который убил девушку, оставит ее у себя на террасе и рядом положит свой же пистолет?

— Мало ли что может быть... Хорошо, прошу вас показать все эти материалы нашему адвокату.

— Что-то покажу, что-то пока тайна следствия. Да, есть продолжение у этой истории. Убитая найдена без документов, как вы поняли. По ее паспорту выехала из Москвы другая девушка. Ее тоже хорошо знает ваш сын, знаете и вы — это Ульяна Леонтьева.

— Что???

Глава 22

Василий Осоцкий промчался мимо охранников, выскочил из машины у парадной двери, рванул ее, быстро прошел по комнатам первого этажа, поднялся на второй. Вадим лежал в своей мрачной спальне на кровати и смотрел на отца, не выражая ни удивления, ни радости.

— Что ты натворил, говори! — Василий больно вцепился сыну в плечо. — Ты убил Князеву, чтобы вывезти по ее паспорту Ульяну? Ты решил ее спрятать от меня? Ты совершенно свихнулся со своей идиотской ревностью и чудовищными идеями. Встань, подонок! Отвечай.

— Да пошел ты. — Вадим стряхнул руку отца. — Это ты свихнулся со своей ревностью. Нужен ты мне, нужен ты Ульяне... Она сбежала по чужим документам от меня к этому греческому стручку... Она — тварь и сука последняя, эта Ульяна.

Василий занес руку для удара, встретил исступленный взгляд сына и опустил ее.

— Ты болен, — пробормотал он. — Ты понимаешь, что ты болен? Объясни мне, что ты на самом деле сделал, чего не делал... Объясни мне, сынок.

— Я-я-я??? — Вадим поднялся, глядя на отца взглядом, который всегда повергал того в ужас. Василий и сейчас вытер испарину со лба. — Я должен тебе объяснять?! Может, ты мне расскажешь, как у этой шлюшки оказались документы убитой бабы? Ты ж такой всемогущий! Я ее три раза ловил в аэропорту и возвращал обратно. Я ее предупреждал: еще раз — и им не жить, ни ей, ни этому уроду. И вдруг она улетела с ним по паспорту дохлой бабенки! Кто, кроме тебя, мог такое провернуть! Меня хотят допрашивать по убийству Виктории, а тебя — нет! Ты ж всегда ни при чем! А я — понятно, сортом похуже, меня можно. А сказать тебе, о чем я сейчас думал? Что запихнуть тебе меня в тюрьму или психушку всю жизнь хочется. Я ж помню, как вы меня таскали типа к «психотерапевтам». Учти: я тебя сдам по всем статьям. Расскажу даже, из-под кого тот бизнес, которым я как будто управляю. Я все понял! Ты живешь с мамашей, за ее спиной с дочкой роман закрутил, может, даже этого грека для виду подставил. Сейчас их вообще убрал с моего поля зрения. Так не убрал! Ты меня плохо знаешь. Можешь считать, что я их нашел и они — трупы!

— Что ты несешь, — устало и удрученно проговорил Василий. — Бессмысленно объяснять тебе что-то, опровергать бред безумца. Говорить с тобой совсем невозможно. Просто прошу — успокойся. Постарайся не совершать никаких глупостей, сейчас это будет слишком заметно. Я потратил достаточно сил и денег на то, чтобы исправлять последствия твоих поступков. Наберись терпения на этот раз. Я не стану вмешиваться в следствие, чтобы, как обычно, поберечь твое здоровье. Я хочу знать, что произошло на самом деле.

Он шел к машине сгорбившийся, как-то сразу постаревший. Выехал со двора, набрал телефон Марии.

— Здравствуй. Я все знаю. Как ты могла скрывать это от меня. Я считал тебя умной женщиной. То ли это ненависть ко мне так тебе ум затмила, то ли еще что-то...

— Что ты хочешь сказать?

— Что Ульяна за границей — в гораздо большей опасности, чем была здесь! Здесь ее преследовал мой ненормальный сын, за которым я мог приглядывать. За вами я мог приглядывать. Сейчас ситуация вышла из-под моего контроля. Я пообщался только что с Вадимом, которого подозревают в убийстве Виктории Князевой, поскольку он ей угрожал, как угрожает всем, — он доведен до белого каления. Именно сейчас он способен на все. Что ты натворила?! Как ты могла допустить, чтобы девочку так подставили.

— Василий, Ульяна — нормальный человек. Но у нее свои мысли и чувства. Я могу повлиять на нее не больше, чем ты на своего сына. Именно из-за него она пошла на этот шаг. Она боялась не за себя, а за любимого человека. После того как твой Вадим разрушил все дела Димитриса здесь, на него дважды совершили покушение в Греции и Германии. Полиция никого не нашла, но это были псы Вадима, ты сам прекрасно понимаешь. Она пыталась выехать к Костаки несколько раз, но Вадим возвращал ее! Я не обсуждала это с тобой, потому что была не уверена в том, что вы не вместе действуете.

— Что ты говоришь! Ты была со мной, ты... И думала, что я способен на такое?

— Ты способен на многое. Давай не будем развивать эту тему.

— Но ты знаешь, что она выехала по паспорту убитой девушки?

— Да. И ты мне уже только что сказал, какой именно. Кто-то нашел убитую, взял ее документы, дал Ульяне, там был как раз загранпаспорт. Ей помогли все быстро оформить. Сказали, что девушку не ищут... Ее ищут?

— Кошмар! Убитых всегда ищут. Тех, кто живет по их документам, подозревают во всех грехах. Какой идиот предложил вам эту авантюру?

— Вася, давай закончим разговор. Мне стало нехорошо. Я больше тебе ничего не скажу. Это не моя информация.

Глава 23

Слава и Сергей сидели в палате Григория Сидорова, который категорически отказался писать заявление о налете на его квартиру, причинении вреда здоровью и об ограблении.

— Хотелось бы понять ваши мотивы, Сидоров, — сказал Слава.

— Тут нечего понимать. Мы почти коллеги. Я знаю, что вы никого не найдете, а я потеряю массу времени и нервов.

— Не очень логично и совсем непрофессионально. Дело не в том, что мы можем вас удивить и их найти. Дело в том, что, если не предпринимать никаких действий вообще, налетчики могут вернуться. Кстати, вы всегда открываете дверь, не спросив, «кто?» и не посмотрев в глазок?

— Я спросил. Они сказали, что соседи снизу, будто у них протечка. Я соседей не знаю в лицо.

— Такой вопрос, Григорий, — вмешался Сергей. — Вас не удивило, что грабители были слишком избирательны: взяли только телефоны, ноутбук? У вас много более ценных вещей.

— Значит, им нужны были именно эти.

— Уточним. К вам приходили за сведениями?

— Я этого не исключаю.

— За какой-то конкретной информацией?

— Возможно, да, скорее всего — да. У меня на носителях много разной информации. Я практикую, как вы, видимо, знаете.

— Столь жестокое избиение было способом получения каких-то сведений?

— Я отвечал уже. Нет. Я просто хотел отнять свои вещи и получил от них.

— Короче, мне надоело, Сидоров, терять на этот пустой разговор свое время и нервы, — заявил Слава. — Может, вы после нападения не обратили внимания на мое удостоверение. Я из отдела по расследованию убийств, мы оказались в вашем доме, потому что вели за вами наблюдение.

— Не понял.

— Поняли. Я сообщил вам о направленности нашего интереса в день нападения. Налетчики пришли за информацией об Ульяне Леонтьевой, которая с вашей помощью, скорее всего, выехала из России по загранпаспорту убитой Виктории Князевой?

— Я... Что-то слышал, не в курсе точно...

— Неправда. Тело Виктории Князевой найдено, опознано, ведется поиск убийцы или убийц. Вы звоните в Швейцарию и матери Леонтьевой. Подтверждаете ли вы, что помогли ее дочери таким образом уехать? Это вы снабдили Ульяну документами Князевой?

— Да...

— Может, расскажете сами, как у вас оказались эти документы, причем в день убийства или на следующий день?

— Звучит ужасно... На самом деле это в какой-то момент показалось мне удачной идеей. Мы дружим с Ульяной. Когда-то я за ней ухаживал, как многие, но, когда женщина говорит: «Давай останемся друзьями», нужно, я считаю, хвататься за этот шанс. И оправдывать статус друга. Ульяна попала в сложную ситуацию. Вам известно о том, что ее преследовал один человек?

— Да. Мы знаем кто.

— Он уничтожал ее возлюбленного, Димитриса Костаки, — здесь была не его территория. Тому пришлось уехать, на него покушались несколько раз. Ульяна не могла выехать, у Вадима, видимо, были информаторы в аэропортах, на вокзалах... Документы — это моя идея. Я подумал, что в какой-то морг могут привезти мертвую девушку, ну, подходящей внешности, возраста. Я вообще-то хотел договориться о подмене паспорта. Будто бы нашли мертвую

Ульяну Леонтьеву, и все закончилось бы. Ульяна не вернулась бы сюда никогда. Этот сумасшедший ничего бы не понял. Но, когда такую девушку нашли, Мария, мать Ульяны, категорически потребовала, чтобы ее не выдавали за ее дочь. Я объяснял, какими последствиями это грозит, но она была непреклонна. Ее можно, конечно, понять: она мать... Вот это и было ошибкой, поэтому вы вышли на Ульяну и на меня, завели дело, о котором стало известно Вадиму.

— То есть вы уверены, что у вас были его люди?

— А чьи еще?.. Но я по-прежнему отказываюсь писать заявление. Теперь — тем более отказываюсь. С ним шутки плохи.

— Но у вас появились другие проблемы. Это убийство. Какое вы имеете к нему отношение, как узнали, что такая девушка есть, что она убита?

— Никакого. Я не знал ее. Я просто поговорил со своим водителем, он же охранник, нельзя ли купить документы мертвой — не обязательно убитой — девушки, похожей на Ульяну. Он сказал, что у него есть друзья, которые могут это сделать, назвал цену. Именно за документы, не за убийство! Ну, и все вот так получилось...

— Как зовут водителя?

— Иван Ступник.

— Где его найти?

— Пишите адрес, телефон. Кража паспорта покойника — не такое страшное преступление...

Глава 24

Слава с утра никак не мог сосредоточиться. Как всегда, с делами Кольцова не знаешь, за что хвататься в первую очередь. В то время, как, по его строгой теории, за дела хвататься вообще не следует. Они должны созревать и падать на стол, как груши. Ну, и по ходу — армии в его распоряжении нет, чтобы бросать войска туда-сюда. Ребята и так в мыле. Наконец он собрался с мыслями, включил запись разговора с Григорием Сидоровым, и сразу же раздался звонок дежурного:

— Вячеслав Михайлович, тут к вам женщина просится. Важное дело, говорит. Мария Леонтьева.

— Пропустите.

Мария вошла в его кабинет, не ответила на приветствие, отказалась сесть, встала перед столом, глядя на него огромными глазами, в темной радужке которых, казалось, расплавились зрачки.

— Вы рассказали Вадиму об Ульяне???

— Вы так ставите вопрос, я даже не знаю, как на это реагировать. Вадим Осоцкий — один из главных свидетелей по делу об убийстве Виктории Князевой. Он же — кандидат в подозреваемые, поскольку угрожал ей расправой. Мы общались с ним и его отцом в рамках права: то есть сообщили им, какая информация у нас в разработке. Ульяна Леонтьева находится в Швейцарии по документам покойной Князевой, и это уже не тайна. Более того, мы должны проверить причастность Осоцких и к этой афере. Что-нибудь случилось?

— Случилось! Мне в назначенное время не позвонил человек, который связывал меня с дочерью. Его телефон не отвечал. Я поехала в его дом, мне там сказали, что он в больнице, на него напали в квартире, избили!

— Это так. Григорий Сидоров, который был на связи с Ульяной и с вами, сейчас в больнице. Показал, что подмена паспорта — его идея.

— Что с ним сделали и что он им сказал?

— Его избили. Но он им ничего не сказал, так записано с его слов. Можете послушать эту запись.

— Включите. — Мария слушала, и глаза ее становились все больше и трагичнее, так казалось Славе. — Они взяли телефон и ноутбук. Это значит, они знают, где Ульяна! Вы убили мою дочь!

— Что вы говорите? Прекратите истерику! Сами заварили такую кашу, а теперь... Я... Я даже попросил коллег, которые находятся в Швейцарии по другому делу...

Раздался звонок, Слава, выключая диктофон, нажал громкую связь.

— Слава, это Клементьев. Срочная информация. Сейчас неизвестные обстреляли шале, за которым ты просил присмотреть. Оттуда мне еще не отзвонились. Все, до связи.

Мария пошатнулась, но удержалась на ногах, схватившись за спинку стула.

— Мария, вам плохо? Присядьте, я вызову врача. Ничего пока не известно. Там находятся наши люди...

Мария дико взглянула на него и бросилась вон. Она подбежала к своей машине и не смогла ее открыть: так тряслись руки. Тогда она бросилась на проезжую часть и остановила такси.

Василий в этот день остался работать дома. У него кругом шла голова из-за сумасшедшей карусели событий, из-за вышедших из-под контроля близких людей, из-за собственных мыслей, которые тоже как будто уже не зависели от него: ни от его воли, ни от желаний... Марию всегда пропускали к нему без предупреждения. Он не удивился, увидев ее на пороге своего кабинета. Он даже по привычке обрадовался, но... на ее лице была написана какая-то страшная весть. Он отдал бы оставшуюся жизнь за то, чтобы ее не слышать.

— Они расстреляли мою дочь и ее мужа в Швейцарии, псы твоего ублюдка! Будь ты проклят! Будь проклято твое семя! Проклята я, допустившая убийцу к своим детям! Я знаю, тебе смерть чужих детей нипочем. Ты не боишься сгореть в аду. Так бойся встретиться там со мной! Бойся смерти!

Она выбежала, а он остался в полном оцепенении. Он чувствовал такой холод в жилах, как будто вся его кровь заледенела от ее слов. Он не знал, сколько прошло времени, прежде чем смог двигаться. Дошел до двери и запер ее на замок. Затем отключил все телефоны. Подошел к столу, где в серебряных рамках стояли фотографии. Взял фото Марии, Ульяны, Вадима. Перенес их на письменный стол, поставил перед собой, сел. Включил диктофон.

— Мария, — сказал он, — я никогда не мог с тобой нормально поговорить. Причина не в том, что ты слишком хороша для меня. И даже не в том, что я знал, что Петров убьет твоего мужа, и не захотел ему помешать. Это было в интересах дела. И в моих интересах, потому что я хотел тебя с той минуты, как увидел. Потом понял, что полюбил... А говорить не мог с тобой, потому что после короткого блаженства твоя неприязнь опускалась на меня, как могильная плита. Так получилось: я не знал любви до тебя, я не знал беды до тебя... Ты пообещала навестить меня в аду — это моя единственная надежда теперь. Теперь, когда произошло то, что поправить нельзя... Ульяна, девочка, я любил тебя как отец. Больше, чем отец. Как дочку и мечту. Я хотел все сделать для твоего счастья. А родил твоего убийцу... Прощай и ты, сынок. Я тебе точно уже ни в чем не помощник. Прости.

Выстрела никто не услышал. У Василия Осоцкого была твердая рука. Он попал себе точно в сердце.

Мария вышла за ограду, побрела в сторону проезжей части. Она почти ничего не видела и долго не могла понять, что за звук преследует ее. Потом остановилась, достала телефон

— Мария! — прокричал Слава Земцов. — Ну, наконец-то. Я уже испугался. Все в порядке. То есть не совсем... Но Ульяна жива, Костаки ранен. Их действительно обстреляли на пляже, он накрыл ее своим телом, наши люди схватили стрелков. У Костаки ранения поверхностные... Стрелков взяли, за Вадимом Осоцким поехали... Вы меня слышите?

— Да. Я просто плачу. Позвоните, пожалуйста, Василию. Я что-то не то ему сказала. А мне нужно домой: вдруг Ульяна позвонит... или приедет. Я ничего не соображаю.

Глава 25

Земцов и Масленников сидели и ждали Сергея, который позвонил обоим, попросил собраться: у него, мол, как всегда, сюрприз.

— Вы знаете, Александр Васильевич, — наконец произнес Слава, — когда Кольцов обещает сюрприз, я мечтаю стать невидимкой.

— А я надеюсь, — серьезно сказал Масленников. — Слишком затянулось затишье... События должны посыпаться как горный обвал.

— Чего-чего затянулось, я не понял? Что вы считаете затишьем? Или я от этого затишья уже оглох маленько?

— Ты просто издергался из-за последней драмы. Я и сам потрясен. Осоцкий... Его посмертное обращение... Любовь, оказывается, может свалить даже такую «теневую» фигуру, до которой нам бы никогда не добраться. А затишья в этом бурном деле в буквальном смысле, разумеется, не было. Я имею в виду тот неизбежный тупиковый период следствия, когда путей вроде много, но все ведут не туда...

— То есть вы не уверены, что Вадим Осоцкий убил Князеву?

— Да он все мог. Человек совершенно безумный. Мне непонятно, как без его ведома документы Князевой могли оказаться у Леонтьевой. Хотя я и тут допускаю некую вероятность. Кто-то мог просто за ним проследить, забрать документы с трупа и продать Сидорову. Полагаю, Сережа нашел этого Ивана Ступника. А вот и он. Мы тебя заждались. Подсели на твои сюрпризы. Что скажешь?

— Да все и скажу. С повинной явился, Слава. Пиши протокол. Я кражу совершил. Час пятнадцать минут назад в офисе Григория Сидорова.

— Ну, что я говорил, — вздохнул Слава. — Мы тут сидим, мучаемся, а он пришел остроумие свое демонстрировать. Все остальное ему по фигу.

— Сережа, ты что-то хорошее спер? — улыбнулся Масленников.

— Ну, как обычно. Как налетчики у Сидорова. Мобильник его охранника Ивана Ступника.

— Айфон пять? — уточнил Масленников.

— Да нет, это вообще отстой, мало ему, что ли, платит Сидоров. Тут в чем разница...

— Кончай, а? — не выдержал Слава. — Что он сказал?

— Начну сначала. Прихожу, сидит такой быковатый мужик, не сильно приветливый. Я ему объясняю: мол, пришел вас потревожить как помощник всемирно известного следователя Земцова, который имеет ограбленный труп. Следы ограбления привели к вашему хозяину Григорию Сидорову. Он показал, что паспорт убитой женщины купил у вас. Ступнику это не сильно понравилось. «Вот сука», — говорит. Это он хозяина имел в виду. Но мне все равно показалось, что это невежливо

— Дальше.

— А дальше все как по маслу пошло. Ну, говорит, чего уж тут скрывать. Я ребят своих выдавать не буду, но нашли они на дороге мертвую бабу, подкинули вроде кому-то в дом, чтоб запутать все, документы мне отдали. Я — хозяину. Деньги честно поделили.

— А пистолет как же там оказался?

— А про пистолет он ничего не сказал.

— Он может не знать, — заметил Масленников. — Придется ребят этих искать. Его всерьез допрашивать.

— Может, придется, а может, нет, — легкомысленно сказал Сергей. — Тут мне сильно захотелось что-то взять на память. Приступ клептомании. Слава, у тебя такое бывает? Не смотри на меня так, я сбиваться начну. Короче, поболтали мы еще про всякую ерунду, он даже чаю мне налил. Потом кто-то позвонил в дверь, он пошел открывать... Вот он, телефончик. В кармане куртки, которая на спинке стула висела, как раз зазвонил. Ну, ничего, этот заблокирует, другой купит... Поэтому я контакты и сообщения сразу на свой перетащил.

— В чем дело, Сережа?

— Петр Князев у него в контактах, Вера Князева в контактах, Виктория Князева все в тех же контактах.

— Да ты что!

— Вот именно. Я не остановился на этом, друг Слава. Я позвонил Петру Князеву. Спросил, знает ли он Ивана Ступника. И тот сказал, что знает! Это брат его уже бывшей жены Веры. Он в доме у них бывал, с Викторией давно знаком... Прям со свадьбы Петра. Так что, Слава, подбери челюсть, собирай своих молодцев и поезжайте за Ступником. Я пока кое-куда тоже метнусь.

Глава 26

Иван Ступник хорошо владел собой. По дороге в управление спокойно засунул в рот чуть ли не целую упаковку пластинок жвачки и не подумал выплюнуть во время допроса. Земцов был вообще эталоном невозмутимости. По дороге в свой кабинет зашел к разработчикам, отдал им документы Ступника, попросил всю возможную информацию пробить как можно быстрее. Сев за стол, задумчиво посмотрел на жующего Ступника и решил не корректировать манеры нового подозреваемого.

— Иван Яковлевич, вы сделаете заявление или предпочитаете отвечать на вопросы?

— Какое заявление? Я сказал этому вашему, что купил у ребят паспорт мертвой бабы, продал хозяину. Больше ничего не знаю, фамилии ребят не помню.

— Понятно. Сотрудничать не собираетесь. Значит, вопросы. Почему вы скрываете, что Виктория Князева давно вам знакома?

— С чего вы взяли?

— У нас есть ваш мобильный телефон.

— О дела! Менты телефоны воруют! Даже я на этого белобрысого не подумал, решил, что потерял.

— Вы подтверждаете, что Виктория Князева — ваша знакомая? Почти родственница, так как является дочерью мужа вашей сестры?

— Это называется — знакомая и родственница? Я, может, ее пару раз видел...

— Каким образом именно ее документы оказались у вас после гибели Виктории?

— Таким, как я уже говорил. Ну, получилось, что это она. Я, честно, и не смотрел эти документы.

— Угу, — кивнул Слава, — несознанка... — Он поднял трубку зазвонившего внутреннего телефон. — Да, понятно, спасибо... Значит, не взглянули. А ведь Виктория Князева, оказывается, вам действительно даже условно не родственница. Поскольку у вас никогда не было сестры Веры, как у Веры Князевой, в девичестве — Дискиной, никогда не было брата Ивана. А проживали вы с ней раньше в одном населенном пункте, откуда вместе и приехали в Москву. Вдвоем, конечно, в Москве сподручнее. Какие у вас отношения с Верой Князевой, она же Дискина?

— Допустим, мы жили вместе. А что? Нельзя?

— Это вообще не ко мне вопрос. Меня в свете данного расследования интересует лишь один аспект: почему вы ввели в заблуждение Петра Князева?

— А это при чем? Ему не все равно: брат — не брат?

— Почему это при чем, объяснять вам пока не считаю нужным. А вот и мой помощник — всемирно известный частный детектив Кольцов. Проходите, Сергей. Ваш новый знакомый оказался неконтактным человеком.

— Да ты что, Ваня, — изумленно уставился на Ступника Сергей самым чистым взглядом. — Тут все свои!

— Ах ты... — Ступник выплюнул на пол жвачку. — Мразь подсадная!

— Действительно, — констатировал Сергей. — На редкость недоброжелательный гражданин. Вячеслав Михайлович, мне даже не хочется продолжать с ним диалог. Передайте ему, пожалуйста, что мобильный телефон будет ему возвращен вместе с указанной им суммой за временную эксплуатацию.

— Передам. Что у вас еще по этому делу?

— Не что, а кто. У меня свидетель для очной ставки. Опознал Ступника по фото. Это Алексей Васильев. Можно ему войти?

— Давай.

Алексей вошел из коридора в сопровождении Сергея, взглянул на Ступника.

Сказал:

— Я его знаю. В тот вечер, когда я встретил Викторию в клубе, они приехали вместе. Она сказала, что это ее водитель. Потом он один раз привозил ее ко мне. Не успел отъехать, как у нас случился обрыв проводов. Вика его вернуть успела. Он чинил проводку... Был в кабинете, где в шкафчике — это вообще-то аптечка, у меня нет сейфа — лежал пистолет. Он и потом там лежал: я им не пользовался ни разу. Купил, когда в этот дом переехал на отшибе. Обнаружил, что пистолета нет, когда случился весь этот кошмар.

— Ступник, вы подтверждаете сказанное Васильевым?

— Да, подтверждаю... — Виртуозное матерное выражение для оглушенных слушателей закончилось словами: «...вас с вашей Москвой».

Слава нажал кнопку вызова.

— Уведите его, — сказал он дежурному. — Ступник, советую к завтрашнему утру подготовиться к чистосердечному признанию. Мы готовы его проверить.

Глава 27

Петр Князев сидел несколько часов в коридоре управления по расследованию убийств, уставившись невидящими глазами перед собой, иногда сжимая виски онемевшими пальцами. Он был оглушен чудовищными открытиями. К нему подходили Кольцов, Масленников, Земцов, что-то говорили, отходили, понимая, что он ничего не слышит. То, что для этого несчастного оказалось страшной жизненной катастрофой, для профессионалов было банальным, примитивным и тупым преступлением.

Деревенская парочка приехала в Москву, чтобы в «люди» выбиться. Сняли на последние деньги убитую квартиру алкоголиков, он брался за любую работу, не гнушался воровства: сумочку выдернуть у женщины вечером, чужую машину вскрыть — вытащить телефон, ноутбук, борсетку. Она давала объявления по Интернету под рубрикой «Поиск партнера». Принимала клиентов в их общей квартире. Немного приоделись, стали появляться в ресторанах и клубах. Ей хватило хитрости работать под деревенскую чистюлю-простушку, живущую под охраной строгого брата, — образ, неотразимо действующий на определенный тип мужчин: не очень уверенных в себе, опасающихся усложнить жизнь близких неверным выбором, тоскующих по семейной жизни без сложностей и проблем. Именно таким был Петр Князев.

Он стал первым человеком в Москве, который вскоре после знакомства с Верой сделал ей предложение. Пришел в ее убогое жилище, послушал ее жалобные песни, расчувствовался и захотел стать ей опорой, чтобы получить благодарную, добрую жену.

Она очень хорошо вела свою роль. Сначала скрывала, каким шоком для нее стало наличие взрослой красавицы дочери, основной хозяйки, наследницы. Шок очень быстро перешел в ненависть и ревность, когда она однажды увидела, как Викторию грубо прижимает к себе «братец» Иван. Но она и это стерпела. Стала чуть ли не сводницей. Поощряла его приставания к падчерице, заметив, как опытная профессионалка, что Викторию возбуждают грубые, случайные отношения. Давала Ивану советы. Когда Вера забеременела, а Иван получил окончательную отставку у Виктории, они всерьез стали замышлять, как устранить ее, в том числе — план «идеального» убийства. Но сначала попробовали уронить дочь в глазах отца, рассорить их. Иван предложил Курочкину за деньги поставить видеокамеры в спальне Виктории, снять ее с любовниками. Курочкин, как всегда, перестарался. Поставил камеры и в спальне Петра и Веры. Это была первая накладка. Еще раньше Иван предложил Виктории свои услуги водителя. Она не любила сидеть за рулем. Когда был свободен от основной работы, подвозил ее в институт, в клубы, даже к мужчинам. В тот вечер, когда привез ее к Васильеву, его попросили починить проводку, он обнаружил пистолет, намотал это на ус. Момент он выбирал очень осторожно. Ловил детали ее телефонных разговоров. Она часто с ним делилась как с подругой. Однажды рассказала, что директором их института стал тот самый Алексей: «Помнишь, мы у него были?» Иван иногда подъезжал к ее институту, следил. Ждал момента. В это время он уже работал у Сидорова, который и попросил его найти документы мертвой девушки... Все сошлось. Днем он легко вскрыл дверь дома Васильева, похитил пистолет. Вечером приехал к институту и увидел, как отъехала машина Алексея, потом вышла Виктория. Он к ней подошел. Сказал: «Вика, я как раз за тобой. У тебя дома — беда. Вере плохо, отец просит приехать». Она, конечно, поехала, не подумав позвонить. Они вошли в квартиру, она пробежала в спальню отца, удивленно позвала: «Папа!» Не успела обернуться, когда Иван дважды выстрелил ей в затылок, подойдя близко. Тут пришла из кухни Вера, они перенесли Викторию в кладовку, где она и пролежала до утра. Им нужно было, чтобы Алексей уехал на работу. Вера вымыла спальню. Иван утром приехал к «сестре», вышел с кофром, в котором обычно отвозили в чистку шубы. Сейчас там находилось тело Виктории, и он отвез его на террасу дома Алексея. Пистолет бросил у ступенек. Алексей приехал вечером... Документы Виктории были уже у Сидорова. Загранпаспорт Вера и Иван взяли в ее комнате. Писали и звонили они Петру с телефона Вики, поскольку видели, что он верит. Потом уничтожили сим-карту.

Их очная ставка напоминала схватку хищников, которые пытались загрызть друг друга. Он все валил на нее, она топила его, выдавая такие детали, от которых не только отцу — опытным следователям было не по себе.

Эксперты нашли прямые улики в кладовке. В деле об убийстве Виктории Князевой были поставлены все точки. И только тогда Ольга Волкова смогла глубоко вдохнуть и выплакаться. Алексей сидел рядом всю ночь и смотрел полными слез глазами, как она бьется в истерике, кричит, рвет простыни, как будто в битве прогоняет пленившую ее черную силу. Они больше не мешали друг другу. Страдание подняло их на другую ступень. Туда, где одиночества не желают.

Эпилог

Мария Леонтьева купила букет белых роз, приехала в аэропорт — встречать дочь с мужем. Она стояла с этим букетом посреди шумного и взволнованного людского потока, как героиня черно-белого, утонченного, старого итальянского кино. Черное платье, тонкое страдальческое лицо, темные, широко распахнутые глаза, взгляд над всеми, мимо всех... Она их увидела! Они шли словно из другого кадра того же кино: Ульяна, затянутая в кремовый, облегающий костюм, с таким же тонким, необычным лицом, такими же глазами, как у матери, только в них — горячий свет солнца, любви и победы. И он, ее возлюбленный, с которым они обвенчались, — прекрасный и счастливый. Мария попробовала сделать шаг к ним навстречу, но ноги не слушались. Белые розы рассыпались, когда дочь бросилась ей на шею.

— Я не верила, что увижу тебя, — только и смогла сказать Мария...

Они вошли в квартиру. Толя, младший брат, стоял в прихожей и смотрел только на сестру. Она обняла его:

— Я так соскучилась.

— Это правда? — строго спросил он. — Все страшное кончилось? Мы будем жить вместе?

— Конечно. — Она его затормошила, пряча повлажневшие глаза. — Я потом тебе покажу подарки. Сначала мы умоемся, переоденемся.

— Нет, — вмешался Димитрис. — Мы, конечно, умоемся, переоденемся. Но потом мы с Толей будем готовить греческие салаты: я все привез. Будем обедать, пить вино и только потом вручим подарки.

Все поняли, что в доме появился хозяин. И он понимал, что сейчас нужно оставить мать и дочь наедине. Они встретились после разлуки, которая могла стать вечностью...

Ульяна в легком домашнем платье вошла в комнату Марии. Остановилась у портретов отца и Василия, под которыми горели лампадки.

— Бедная моя, — повернулась она к матери. — Ты была одна в этом несчастье.

— В трагедии любой человек — один, — ответила Мария. — Бог дает ему крест и говорит: неси, сколько сможешь.

— Ты повесила их портреты рядом?

— Да, как видишь. Жизнь не переделаешь. Твой отец был моим первым мужчиной, Василий — вторым и последним.

— Как это произошло?

— Я убила его. Узнала, что на вас напали, решила, что тебя больше нет, пришла и сказала: будь ты проклят. Не живи. Он послушал меня.

— Мама, ты ни в чем не виновата... Мы обе знаем, что они за люди... Папа... Мы все... Разве мы жили?

— Да, мы знали. Василий сказал, что имел отношение к гибели Виктора. Не прямое, конечно. Убийцы сейчас в тюрьме. Знаешь, когда Василий умер, я почувствовала, что он нас любил по-настоящему. Меня и тебя. При его жизни мне это было не важно. А сейчас, извини, душа болит... Несчастный безумец Вадим, который превратил твою жизнь в ад, он без отца из этой истории, конечно, не выберется. Его, скорее всего, признают невменяемым. Мне сказали, что он окончательно сошел с ума в тюрьме. Мне жаль его мать.

— Я так счастлива сейчас, мама, что мне жалко даже Вадима. Грех это говорить, но благодаря Вадиму мы с Димой прошли сквозь такие испытания, что теперь точно знаем: никто никогда так не любил, как мы, никто не был столь близок, столь богат...

— Мне кажется, я жила ради этих слов...

* * *

— Черт, — сказал Коля, появляясь на кухне, где Марина готовила обед. — Выясняется, что я такой же нищий, как и был. Практически. Купил машину, Николаев принес мне сдачу с моего гонорара — он оказался честным, не взял даже на чай, — я решил присмотреть тебе подарок, у тебя же завтра день рождения. Полез в Интернет, набрал всего лишь слово «платье»... Елки, я не в курсе цен! Ты знаешь дизайнера Дэбби Вингхэм?

— Ну, слышала.

— Так у меня не хватает средств даже на рукав ее последнего платья. Оно стоит пять с половиной миллионов долларов, весит, правда, тринадцать килограммов. Это, мне кажется, минус.

— Это огромный минус. Я же не верблюдица — таскать на себе такие тяжести. Не переживай.

— Я переживаю. Я считаю, сколько нужно взять заказов на убийства, чтобы прилично одеть женщину...

— Ну, какой ты неисправимый идиот. — Она всплеснула руками. — Прав Николаев. Просто шут какой-то.

— Я — шут, ну и что же... Он кто — вот в чем вопрос? Когда я выхожу в трусах из спальни или в халате из ванной, он в гостиной на полу учит играть в шахматы трехлетнего Артема, я только соберусь погулять с Грэем, а они уже возвращаются с Николаевым — лапы мыть. Я думаю, что чего-то не понимаю в жизни, вернее, ничего не понимаю. Наверное, меня мама чем-то не тем в детстве кормила. А как ты все это видишь?

— Так, как есть. Он — одинокий, не очень, точнее, совсем неудобный человек. При этом очень благородный и преданный, согласись. Он привык спасать то меня, то тебя. Во время этого занятия привязался к ребенку. К собаке тоже. Стал сам немного ребенком. Он тебе мешает? Он ведь даже не каждый день приходит.

— Нет, конечно, нет. Он приходит через день. Вот если бы приходил каждый день — он бы мне мешал. Ты все доходчиво объяснила. Я, пожалуй, пойду посплю. Потом буду думать над концепцией нового журнала. Мне Кольцов для него обещал таскать горячие скандалы. На платье нам не хватает, но журнал запустим как-нибудь...

— Поспи, — улыбнулась Марина. — У тебя точно все получится. Только впиши в эту концепцию руководство процессом с домашнего дивана. Иначе — пролет.

— Отличная идея. С нее и начну.

Коля пошел спать, Артем был в садике. Марина закончила с готовкой, пришла в гостиную, села на диван. Опять вспомнила все сначала. Как изменилась ее жизнь! После признания Александра она продолжала ходить в больницу каждый день, ухаживала за ним, разговаривала со свекровью — о здоровье Саши и больше ни о чем. Потом они привезли его в квартиру. Он, очень бледный и слабый, сразу прошел в спальню, лег на кровать и закрыл глаза. Марина отпустила няню, собрала ребенка, тихонько вошла в комнату, подошла к Александру, коснулась губами его щеки и сказала:

— Прощай, милый. Мы уходим. Тебе так будет легче. Мама тебе поможет. Если что-то понадобится, звони. Мы с Артемом сразу приедем.

Он кивнул, не открывая глаз. Она с болью увидела слезы под плотно сжатыми ресницами, выбежала из комнаты, попрощалась с Ниной Валентиновной. Они с Артемом ушли... Под дубом ждал Коля. Неподалеку стояла машина, которую он купил.

— Ты давно ждешь? — спросила она.

— Нет. Всего четыре часа.

Они приехали в его квартиру и стали жить, ничего не загадывая наперед. Он ждал, когда она скажет: «Я все решила. Мы точно будем вместе». Она ждала, когда ее отпустит страшная печаль. Ей никогда не было так приятно и уютно с другим человеком. Она как будто вернулась домой. К нему — родному, смешному, очень домашнему. У нее никогда не было таких легких и теплых отношений с Александром. Она еще не разрешила себе это сказать, но столь сильного физического притяжения к мужчине она, оказывается, не знала. Но части картины не складывались. Александр — отец малыша, они расстались не так, как люди, сознательно решившие изменить свою жизнь. Судьба швырнула их в водоворот мучительных событий, которые от них не зависели. Все оборвалось жестоко, руины не стали прошлым и убивали надежды на будущее...

— Тебе грустно? — Коля стоял рядом и внимательно смотрел на нее. — Что не так?

— Мне так грустно, что я не знаю, что с этим делать. А ты знаешь?

— Знаю. «Шоколадом лечить печаль и смеяться в лицо прохожим». Все пройдет, моя милая, моя красивая, самая лучшая жертва на свете.

— Да? Я тебе верю, хотя тебе верить — просто смешно.

— Ну вот видишь. А говоришь, грустно. Придет Николаев, мы вообще над ним обхохочемся. Я научил Артема играть в шахматы лучше его...

* * *

Сергей Кольцов глотнул кофе и задумался.

— Слава, мне кажется, талант не пропьешь. Учит тебя Александр Васильевич, учит: ну, в смысле «евреи, не жалейте заварки». Я наблюдаю, как ты с каждым разом бухаешь в турку не просто больше кофе, ты уже вроде бы и воду из пипетки добавляешь. А получается все равно твоя непревзойденная бурда. Александр Васильевич, как вы это объясняете?

— Человеческая уникальность всегда прорвется, — рассмеялся Масленников. — Я даже стал что-то находить в Славином кофе.

— Игруны, — проворчал Земцов. — Вот я тоже удивляюсь. Мы с вами, Александр Васильевич, две старые рабочие клячи, всегда в работе. Но я вижу: вам не со мной интересно, вы всегда поддерживаете этого бездельника и пустозвона. Мне рассказали ужасную историю. Он опять мужа какой-то гламурной бабенки подловил... стыдно сказать — на другой гламурной бабенке. Вам это не противно?

— Мне — нет. Полагаю, они все при таком раскладе поимели — каждый свой интерес. Я прав, Сережа?

— В точку. И будем продолжать его иметь. Кстати, моя клиентка и подруга Моника — наш верный информатор по только что завершенному делу об убийстве Князевой. Если бы не она, мы бы пасли не того Осоцкого. В благодарность за сотрудничество, с большой скидкой я и застукал этого еще не мужа, но жениха в крайне неудобной позе. Я даже удивился, честно. Показать фото?

— Господь с тобой, Сережа. Мы же кофе пьем.

— А, ну да. Мы можем пить кофе, только глядя на Славу или на покойников, от созерцания живых людей за живым делом нас душат жаба и слезы. Вы меня обидели.

— У нас есть воображение, Сережа, — успокоил его Масленников. — В этих живых делах никто ничего нового не придумал. Я что-то не понял, в чем успех твоего предприятия? Если Моника потеряла потенциального мужа, за что скидка?

— Еще больше обижаете. Она получила нежнейшего, преданного и верного — не сойти мне с этого места — мужа. Они уже даже составили брачный контракт, от которого он в восторге. Это я к тому, что каждый схватил свой интерес. Моника — богатая женщина после нашего предыдущего развода. Женившись на ней, этот клипмейкер тоже станет богатым человеком, но при одном условии — жесткой моногамии. Чуть что — останется с голым задом.

— Тьфу, — прокомментировал Слава. — В смысле — молодец!

— Не стоит комплиментов. Меня поразило одно обстоятельство. Как кровожадны женщины! Вы не поверите. В свете, конечно, говорят об убийстве Виктории Князевой, появлении Ульяны Леонтьевой, которое связывают с арестом Вадима Осоцкого. Я немного рассказал Монике о сути дела. Как Ульяна выехала по документам Князевой. Между нами, конечно. Моника — могила. Так вы представляете, чего она сначала захотела. Просто загорелась. Узнав, что ее суженый спит с одной моделью, она попросила меня достать ей чей-нибудь труп! Подложить ему, потом попугать, что он подозревается в убийстве... Ну, это, говорит, наверняка сделает его верным на всю оставшуюся жизнь. Я был в шоке. Моника, говорю, он же станет слишком верным. Настолько, что сможет петь альтом в церковном хоре...

— Все. Больше не могу. — Слава резко поднялся. — У меня на кухне водка есть.

— Отлично, — сказал Сергей. — Она поможет вам побыть один вечер без меня. А я откланяюсь. Дело... Точнее, мне надо. Сегодня сорок дней со дня убийства Виктории. Мне днем позвонил Петр, говорит: один я. После работы собирался на кладбище, мать брать нельзя, она все это тяжело пережила. В общем, я туда.

Сергей нашел Петра на участке. Он стоял, бессильно опустив руки перед тремя могилами — одна с памятником и снимком покойной жены, два холмика с крестами, один совсем крошечный. Памятников пока не было. Только портрет Виктории, прислоненный к кресту. Сергей аккуратно разложил цветы на холмиках. Белые маленькие гвоздички на детской могиле, багровые георгины — перед портретом Виктории. Красные розы — к памятнику ее матери.

— Вот и вся моя семья, — сказал Петр. — Ну, мама еще, конечно. Но она не разговаривает даже. Не больна, просто не может. Ну, и эта убийца в тюрьме...

— О последней забудь. Она тебе семьей никогда не была. А дети... У меня детей нет и не было... Надеюсь. Но, говорят, они не уходят... Ну где-то же они есть. Ты не торопись. Живи как живется. Побудь один. Работай, тоскуй, лови хорошие воспоминания... Тебе должно повезти. Я много разных людей повидал. Поверь: такой приличный мужик, как ты, — редкость.

Одна просьба. Когда тебе покажется, что ты встретил подходящую женщину, познакомь ее со мной. До свадьбы. Доверчивый ты очень.

Петр не смог сдержать улыбки.

— Серега, если мы в таком тандеме... Я — сильно доверчивый. Ты — наоборот. Мы ж будем женские колонии контингентом пополнять.

— Так мы ж не звери, — кротко ответил Сергей. — Мы просто вовремя погасим преступные мысли... Поехали к тебе, помянем твою семью.

* * *

Он шел по темной улице с редкими прохожими, с опечаленными деревьями по обочинам, которые роняли желтые листья ему под ноги... Он так гулял, не спеша, без цели, наверное, впервые после детства. Потом жизнь его посылала только вперед, туда, где опасно, где без него никак, где лишь с ним можно догнать, спасти, победить... Он привык доверять только себе. Его выстрел всегда попадет в цель. Его враги могут лишь просить пощады. Его друзья за ним как за каменной стеной. И любой, кто попадет в беду, пусть позовет, он услышит... Что же с ним приключилось, с храбрым командиром Николаевым? Что ж ему так не по себе: вдруг появилось и лишнее время, и полно мест, куда его почему-то тянет. Потому что нельзя вечно торчать в чужом доме, смотреть на чужую женщину, играть с чужим ребенком, гулять с чужой собакой... Этот обалдуй Кузнецов оказался, в общем, неплохим парнем. Он его терпит. Они даже не особенно друг другу мешают в одной квартире, перемещаясь каждый по своей траектории. Просто путеводная звезда у них одна — Марина. Головы невольно поворачиваются за ней, взгляды встречаются, они оба удивляются: что за дела? И он уходит к себе, а они остаются.

«Чем я занимаюсь?» — строго спросил он себя. И ответил прямо, как всегда: «Охраняю. Ловлю над пропастью. Они позовут, а я здесь. Они все как дети». Он представил себе Артема, вспомнил, как тот ему сказал: «Ты мой Николаев», улыбнулся. Наконец он кому-то принадлежит. А дальше... Кузнецов часто повторяет эту строчку из стихов, которые Андрею очень нравятся: «Как будто жизнь качнется вправо, качнувшись влево...» Кто знает, что дальше...

Литературно-художественное издание

ДЕТЕКТИВ-СОБЫТИЕ

Михайлова Евгения

СОВСЕМ КАК ЖИВАЯ

Ответственный редактор *О. Рубис*
Художественный редактор *С. Груздев*
Технический редактор *О. Лёвкин*
Компьютерная верстка *О. Шувалова*
Корректор *Е. Дмитриева*

ООО «Издательство «Эксмо»
127299, Москва, ул. Клары Цеткин, д. 18/5. Тел. 411-68-86, 956-39-21.
Home page: **www.eksmo.ru** E-mail: **info@eksmo.ru**

Подписано в печать 09.11.2012.
Формат 84х108 1/32. Гарнитура «Гелиос».
Печать офсетная. Усл. печ. л. 18,48.
Тираж 15000 экз . Заказ 8492.

Отпечатано с готовых файлов заказчика
в ОАО «Первая Образцовая типография»,
филиал «УЛЬЯНОВСКИЙ ДОМ ПЕЧАТИ»
432980, г. Ульяновск, ул. Гончарова, 14

ISBN 978-5-699-60703-7

9 785699 607037 >